言論の覚悟　最終章

鈴木邦男

創出版

はじめに

2023年4月2日、都内で「鈴木邦男さんを偲び語る会」が開催され、多くの人たちが集まった。1月11日に他界した鈴木さんについて語り合おうという会だった。新右翼からリベラルに変わったと言われる鈴木さんとはどういう存在だったのか、それを語ることは日本の言論界について語ることだという思いから、呼びかけたものだ。

田原総一朗さん、佐高信さん、武田砂鉄さんに続いてマイクを握った芸人の松元ヒロさんのスピーチに会場は笑いに包まれた。その後、鈴木さんの高校の同級生などに続いて行われたオウム真理教元教祖の娘である松本麗華さんのスピーチには会場のあちこちで涙を流す人がいた。

右から左まで、あるいは連合赤軍からオウム元教祖の娘まで、極めて幅広い人たちと関わってきたという点で、鈴木さんは稀有《けう》で貴重な存在だった。日本における思想の座標軸が右へ大きくぶれるなかで相対的にリベラル派の立ち位置になった鈴木さんは、この10年ほどは、森友問題などの抗議集会で政権を批判し、ヘイトスピーチを激しく弾劾するなど、自分の立場を鮮明に押し出していた。

本書は月刊『創《つくる》』の鈴木邦男さんの連載「言論の覚悟」をまとめたものだ。この連載は1995年に開始されたもので、もうすぐ30年になるところだった。既に『言論の覚悟』『新・言論の覚悟』『言論の覚悟 脱右翼篇』と連載は書籍化されており、本書は第4弾だ。そして鈴木さんの死去によって最終章となってしまった。それらを通して読んでみると、鈴木さんがどの時期に何を考え、どう行動してきたかがわかる。特に『新・言論の覚悟』と『言論の覚悟　脱右翼篇』は、鈴木さんが大きく変わったとされる時期のものとして貴重だ。憲法についての考え方など、鈴木さんは、確かに以前と変わったように見えるが、一方で、変わらずに貫かれている信念のようなものもあった。それが「言論の覚悟」という言葉に集約されている。

鈴木さんは全ての著書に自宅の住所と電話番号を明記していたことで知られるが、2002年刊行の『言論の覚悟』のあとがきでこう書いている。

《もの書きは全て、自分の住所と電話番号を公開すべきだと僕は思っている。それ位の覚悟と自覚を持つべきだと思う》《反響は全て引き受けるべきだ。少々恐ろしくとも引き受けるべきだ。それが嫌なら、もの書きという仕事をやめるべきだ。そんな覚悟のない人間が、偉そうにきれい事を言ってるから、言論はどんどん下劣になり、言論の自由がなくなるのだ》

言論の覚悟がない者はもの書きをやめるべきだという、強烈な言葉だ。

天皇タブーに関わるような映画や、ネトウヨが「反日」と攻撃するような映画の公開をめぐって、鈴木さんは「映画を観もしないでつぶせというのはおかしいじゃないか」と体を張って立ち向かった。

余人をもって代えがたい、そういう存在だった鈴木さんがいなくなってしまったことは、本当に残念だ。最後の5年ほどで鈴木さんが憲法や死刑問題についてどう考えていたか、ぜひ本書から読み取ってほしい。

（月刊『創』編集長・篠田博之）

もくじ

第1章 憲法を考える

第2章 政治活動の覚悟

第3章

転倒そして入院

第4章

闘病とドキュメンタリー映画

特別篇

追悼記

第1章 憲法を考える

「憲法カフェ」で講演。2017年３月18日

第1回

大杉栄と竹中労

『創』2016年11月号

福島泰樹さんと。9月17日

9月17日(土)　9時28分東京発の新幹線で新潟へ。そこから乗り換えて新発田《しばた》へ。12時半に着く。1時から新発田市生涯学習センターで「大杉栄メモリアル」に参加。新発田は大杉が少年時代の10年を過ごした土地で、最も愛着があるという。

大杉が権力に虐殺された日の近くに毎年「大杉栄メモリアル」が、ここ新発田で開かれている。大杉が生まれたのは四国の丸亀だし、虐殺されたのは東京だ。ただ、最も思い出があり、最も愛したのは新発田だ。「故郷」と言えば新発田を思い出すと大杉は言う。その大杉の気持ちに応え、さらに大杉の思想を今こそ想起しよう。ということで20年ほど前から「大杉栄メモリアル」が開かれている。大杉栄の甥《おい》の大杉豊さん、作家の中森明夫さん、鎌田慧さんなどを呼び講演会をやっている。さらに関連する映画の上映や音楽の演奏会なども行われている。僕も一度呼ばれて講演した。大学時代は右翼学生だったが何故か大杉栄が好きだったし、著作はほとんど読んでいる。また、後に竹中労を知り、竹中を通じて再び大杉の魅力を知ることになる。大杉は言っていた。「今は左右を弁別すべからざる状況だ」と。

僕が竹中に初めて会ったのは１９７４年だ。連合赤軍事件があり、連続企業爆破事件があり、世間のバッシングを浴び、左翼運動は絶滅寸前だった。そんな時、「大杉に学べ」と言っていた。「右だ、左だという小さな違いにこだわってはいけない」と言う。また、だらしのない左翼の運動・生活スタイルを徹底的に批判していた。「革命とは実務だ」と言った。人に連絡をしたり、時間を守る、約束を守る。そんなことは小さい。俺は革命家だ。大きなことを考えている、と言う自称・革命家が多かった。そんな連中を竹中は批判していた。ともかく実務が出来た。「俺は竹中労務店だ」と言っていた。「人は弱いから群れるのではない。群れるから弱いのだ」と言っていた。これは真実だと思った。

竹中は大杉について何冊も本を書いている。『ＦＯＲ ＢＥＧＩＮＮＥＲＳ 大杉栄』（現代書館）が僕は一番好きだ。運動や女性関係の失敗も含めて大杉を丸ごと抱きしめ、愛し、熱烈に支持する。それを熱く説き、書く。そして「後書き」で言う。「大杉栄は私である」。これにはシビれた。そんな竹中に出会い、僕の考えも随分と変わった。５年前に、『竹中労』（河出書房新社）を書き、竹中と出会い、どう変わったかも検証してみた。「竹中労は私である」と言う自信はないが、それを目指したいと思う。今、竹中が最も評価した大杉栄の全集を読んでいる。ぱる出版から出ていて最近完結した。『自叙伝』や『日本脱出記』は何度も読んでいるが、ファーブルの『昆虫記』の翻訳などは初めて読む。また進化論やエスペラント語について書かれたものもあり、新鮮だった。

さて、新発田の「大杉栄メモリアル」に話を戻す。僕はこの集まりには、ほとんど毎年来ている。別に講演するわけではないが、聴衆として来ている。一年に一度、大杉と同じく「新発田の自由な空気」を吸いたいし、「自由な空」を見たい。また、毎年の講師の話も聞きたい、と思うからだ。今年の講師は「絶叫詩人」で僧侶の福島泰樹さんだ。講演の前には映画「ベアテの贈りもの」が上映された。ベアテさんは日本国憲法の第24条を書いた人だ。何度か講演を聞き、憲法に対する僕の考え方も段々と変わっていった。7年前にはニューヨークで憲法についてのシンポジウムがあり、僕を呼んでくれた。アメリカの学者たちと話をした。ベアテさんとはじっくりと話をして本を作りたいと思っていた。でも亡くなられた。何とも残念だ。日本を占領したGHQは確かに「日本弱体化」の意図もあっただろう。しかし、それと共に、これからはもう戦争がない、そう思い、その時代の理想の憲法を作ろうとした。女性の人権を担当したベアテさんも、アメリカでも出来ないような理想と夢に燃えた条文を書いた。

安倍政権は「押しつけ憲法」を排し、自主憲法を作ろうとしている。だったら、「押しつけた」側の努力、情熱、愛、理想を上回るものを持っているのか。実際には、ない。ただ、昔に戻したい、それだけだ。国家の威力を示すために国民の自由、権利は大幅に制限される。立派な憲法を作るためだ、国民は我慢しろ、というのだ。これはおかしい。国民があって憲法があるのだ。逆ではない。「自由のない自主憲法よりは、自由のある押しつけ憲法」と僕は思う。これもベアテさんに会って、変わった点だ。

新発田の「大杉栄メモリアル」では、終わってからの懇親会の時にそんな話をした。福島さんとも酒を飲みながら、かなり突っ込んだ話をした。福島さんは講演では、大杉やその仲間たちの詩や歌を紹介し、絶叫して詠み上げる。「でも学生時代は大杉に関心はなかったでしょう?」と聞いた。だって福島さんは大学時代あるセクトに入り学生運動をしていた。強固な組織を作り、団結し、国家権力と対決するのだと思っていた。そんな時、大杉などに関心はなかったはずだ。たとえ話題になっても、

「大杉には組織論がない！」と言って切り捨てていただろう。「そうですね。今だから理解できるんですね」と福島さん。東西冷戦、左右対決の時代なら顧みられなかった。でも今ならその重要性が分かる。「群れるな！」「群れるから弱くなる！」と大杉の、そして竹中の怒号が聞こえるようだ。

9月18日(日)　午前中、田宮高磨さんのお墓参りに行く。田宮さんは70年の「よど号」ハイジャック事件のリーダーだった。新発田の出身で、代々の墓がここにある。福島さんもぜひ行きたいと言っていたが、東京で法事があり、朝6時に帰ってしまった。「親類の法事ですか？」と聞いたら、「檀家の法事だ」と言う。そうか、「絶叫詩人」は職業ではない。仕事は僧侶なんだ。だから残った人間だけで田宮さんのお墓参りをし、住職さんに挨拶し、そのあと蕗谷紅児記念館に行く。新発田に来た時は必ず寄っている。館長さんと話をした。三島由紀夫も蕗谷作品が好きで、『岬にての物語』には表紙や本の中の挿絵を頼んでいる。限定豪華版で知り合いの人にだけ送っている。これを頼んだのは、三島が自決する1年前だ。実は三島のお母さんが蕗谷の大ファンだったという。「花嫁人形」などを始めとした大正ロマンの世界だ。三島は先立つ不孝を詫び、最後の親孝行のつもりで蕗谷に絵を描いてもらい、それをお母さんにプレゼントしたのだ。

例年ならば、この後、新発田城、堀部安兵衛の像、そして38度線記念像などを見て、新発田観光を楽しむのだが、今回はゲストの福島さんはいないし、主催者の斉藤さんも用事でいない。それでお昼で解散。僕は長野から来た平田君を誘って長岡へ行く。いつも新幹線で素通りするだけだが、行ってみたい所である。長岡には「郷土の誇り」ともいうべき二人の人物がいる。山本五十六と、幕末の傑物、河井継之助だ。河井は司馬遼太郎の小説『峠』で有名だ。その二人の記念館がある。その二つはかなり近い。二つとも立派な記念館で、ゆっくりと見学できた。河井継之助記念館では館の人が案内し、説明してくれる。それまでほとんど知られなかったのに司馬遼太郎が『峠』で書いてくれたので全国に名が知られ、こうして記念館もできたんです、と言う。「司馬さんは無名の人に命を吹き込み、甦らせてくれました」と言う。『峠』の河井継之助、『竜馬がゆく』の坂本竜馬、『坂の上の雲』の秋山兄弟…と、例をあげる。その通りだ。河井、山本の二つの記念館を見て、その後、山本五十六の生家に行く。戦争で焼失したのを復元したもので、銅像もあり、そこが公園になっている。家に入ったが、小さい。天井が低い。質素な家だ。勉強部屋に入ったら、二畳だ。机を置くだけで一杯だ。横になることも出来ない。勉強するだけだ。この日は長岡に泊まる。

9月19日（月）　朝、柏崎に行く。午後1時から柏崎市文化会館アルフォーレでドナルド・キーンさん（コロンビア大学名誉教授）の講演会がある。この日は近くにいるし、行ってみようと東京で申し込んでおいたのだ。ここ柏崎には「ドナルド・キーンセンター柏崎」がある。その「開館三周年記念特別講演会」だ。アルフォーレ大ホールはとても大きな会場だ。千人以上入る。そこが満員だった。全国から聞きに来ている。

今日の講演会のテーマは「ドナルド・キーン　石川啄木の日記を読み解く～最初の現代日本人～」だ。午後1時半、市長の挨拶に続き、池田功氏（明治大学大学院教授・国際啄木学会会長）の基調講演。「石川啄木の日記を読む～キーン先生の啄木日記論を紹介しながら～」。その後、休憩をはさんで2時50分から記念対談。「石川啄木～最初の現代日本人～」ドナルド・キーン氏と池田功氏。進行はキーン誠己氏。キーンさんが一人で講演するのかと思ったら違った。今年94歳だし、体調のことを考えて対談形式にしたのだろう。

池田さんは啄木について詳しいし、対談者として適任だ。進行役（司会）のキーン誠己さんは50年、新潟市生まれ。人形浄瑠璃文楽座に三味線弾きとして所属。97年、25年間の舞台生活を経て、文楽座を退座。古浄瑠璃についての教えを請うためにキーンさんを訪問、交流が始まり、12年3月にドナルド・キーンさんと養子縁組をし、キーン誠己となる。キーンさんも12年に日本に帰化している。14年7月には柏崎市の名誉市民。雅号は鬼怒鳴門。キーン親子には去年の10月、東大で行われたミシマ・シンポジウムで会っている。といっても、声をかけてちょっと話しただけだが。

キーンさんは日本文学の最大の理解者だ。谷崎、川端、三島を翻訳し世界に紹介してくれた。キーンさんの『石川啄木』（新潮社）は出てすぐに読んだ。啄木は天才かもしれないが人に借金をし、女遊びをして…と評判が悪い。でもキーンさんは「天才をきちんと評価しろ」と言う。啄木の全作品を読んでこう言う。〈啄木は、千年に及ぶ日本の日記文学の伝統を受け継いだ〉〈啄木が日記で我々に示したのは、きわめて個性的でありながら奇跡的に我々自身でもある一人の人間の肖像である。啄木は「最初の現代日本人」と呼ばれるにふさわしい〉

啄木はそんなに偉大な人間だったのか。それをキーンさんに教えられた。それで本が出てすぐに『アエラ』に書評を書いた。そんなこともあって今回の対談はとても興味があった。講演後、挨拶したら、覚えていてくれた。「アエラの書評、とてもよかったです」と言われた。ちゃんと読んでくれてたのだ。感激だった。柏崎まで来てよかった。『ドナルド・キーン著作集』（全15巻）も全巻読破しようと決意した。

第2回
「敵」から学んだ

『創』16年12月号

没後25年の竹中労追悼会

２０１６年９月に出した『これからどこへ向かうのか』（柏艪舎）は、いろんな所で取り上げられた。タイトルだけを見ると、世界はどこへ向かうのか、と世界の政治を論じているようだ。しかし違う。「鈴木邦男はどこへ向かうのか」だ。テーマは小さい。それを本人が書く。こんな個人的な「弁解」や「愚痴」を誰が読むんだろう、と思う。でも売れ行きはいい。文化放送の「大竹まことゴールデンラジオ」にも取り上げられ、新聞、雑誌からもかなり取材された。かつては右翼の過激な活動家で何度も捕まっていたのに、今なぜか「左傾」し、皆の期待を裏切っている。時代は右寄りだし、かつての仲間の右翼学生は日本会議で大活躍している。安倍政権を支え、憲法改正を強力に推進しようとしている。他にも、国会議員、大学教授、評論家、会社の社長になり、華々しく活躍している人が多い。彼らはいわば右派学生運動の「勝ち組」だ。僕は「負け組」なのかもしれない。

「俺こそが日本一の愛国者だ！」と豪語し、愛国的な本を書くことは可能だ。そんな注文もあったが、気が進まない。「愛国心」は自己申告だ。「俺は愛国者だ」と大声で言う人の中に、本当の愛国者はいなかった。もちろん、愛国心は素晴らしいし、その運動をすることも貴い。「日本人だから日本を愛するのは当然だ」というのも分かる。しかし誰もが「当然」であり「常識」と思うものは、（誰も批判できないから）どんどん過激になり、エスカレートする。「この国のために命をかける」「国のためなら、いつでも死んでみせる」という人間が運動の主導権をとる。

また、そんな人たちは、少しでも考えが違った人を許せない。疑問もはさめない。思い込みが激しいだけ、他の人間に対しては不寛容になる。僕らが学生運動をしてた頃は「愛国」はタブーだった。大声で言えなかった。「そんなものがあるから戦争になったんだ」「中心に向かってまとめようとするから、逆に排外主義になるのだ」と全共闘の人々は言ってきた。あの頃、「愛国心」を言っていた大学生や大学教授は全共闘に詰め寄られ、暴力的に粉砕された。

今は全く逆だ。愛国心を持つのは当然、常識である。それに反対する人間は「非国民」であり、「売国奴」だと言われる。テロリストだとも言われる。だから左翼的な評論家・教授なども、「私だって愛国心はありますが」と枕詞《まくらことば》のように言う。左翼は時代の空気に屈服し、運動をやめた。「右派・保守」はいい言葉になった。かつての敵（左翼）はいない。天敵のいない荒野に右派・保守は吠え、暴れている。

結局、どれだけの人間を見てきたのか。そこに行き着くと思う。いくら本を読んでも、他人からいくら聞いても、分からないことがある。実際の左翼と闘ったことのないネトウヨの方が、より過激に、より排外主義的になる。実際の人間を知らないし、観念でしか敵を理解していないからだ。

僕は長い間、右翼の運動をやってきた。その中で多くの立派な先生、尊敬すべき先輩を知り、教えてもらった。と同時に、凄い「敵」にも出会い、学んできた。自分自身がバラバラに分裂する危険をも抱えながら、考え、悩んできた。今ならもう会うことが出来ない人たちだ。そんな人たちの圧倒的な思想、勢い、影響力をモロに被り、それでも必死にあがき、逆らってきた。もしかしたら、スッキリと転向した方が楽だったのかもしれない。

宗教の洗脳の場合でも、一気に考えを変え、洗脳が完成した方が、人間として統一性と存在は保たれるという。迷いに迷い、悩み、抵抗した場合は、人間の統一性・存在が破壊されることがある。壊れた人間になるという。僕もそうかもしれない。でも、優秀で、かけがえのない人達に会ってよかったと思う。右も左も。その中でも竹中労と若松孝二。この二人の影響力は大きいと思う。他にも太田竜、平岡正明、遠藤誠、羽仁五郎といった人々からも影響を受けてきた。

勉強量においても運動の実績においても、初めから、とても敵《かな》わないと思っていた。また、人間的にも尊敬している人だった。生活の実態については深くは知らなかった。だからこそ敬意を持って敵対できたのかもしれない。その点、右翼の人たちは生活も深く知った。「天皇のために命をかける」と言いながら、企業を恐喝する人もいた。「お前と同じ仲間なんだから」といいながら、生活態度は感心できない人もいた。人は言っている思想や主張じゃない。人間そのものが信用できるかどうかだ、そんな簡単なところに帰着した。僕は、運動家としては甘かったのだろう。鉄の意志を持った運動家たちは、たとえどんなにいい人間でも、思想的に敵ならば、躊躇《ちゅうちょ》なく撃ち倒す。そうでなくてはならない。そんな運動家を何人も見てきた。とても僕には無理だと思ったし、それが甘さだった。いろんな場面で、批判され、追放されたのもそれが理由のようだ。元々、運動家には失格だったのだろう。左翼の（良質な）思想家・運動家に出会わなければ、こんなに迷うことはなかったし、自己分裂するような危機も迎えなかっただろう。「どこに向かうのか」と聞かれることもない、一貫して右派運動家の道を歩んでいただろう。でも、僕を迷わせた多くの左翼思想家たちに会ったことは全く後悔していない。もうそんな人達に出会うことはできないのだし。

10月15日（土）　甲府市の桜座で〈竹中労　没後25年。今ふたたび〉が行われた。偲ぶ会だから、少人数のファンがひっそりと行うのだと思っていたら、違っていた。200人もが集まり満員だった。第一部は「戒厳令の夜」の上映。五木寛之原作、竹中労製作で、南米に長期ロケもやり莫大な金がかかった映画だ。興行的には成功しなかった。莫大な借金を背負い、苦しんだ。でも今見ると映画を作った意図や、闘志も分かる。第二部は「労を偲ぶトークの集い」。ゲストは豪華だ。女優の樹木希林さん。また、この日、急遽駆けつけた水道橋博士。沖縄音楽プロデューサーの小浜司さん。朝日新聞編集委員の小泉信一さん。そして僕だ。また、地元、甲府で「竹中英太郎記念館」の館長をしている竹中紫さん。この人は竹中労さんの妹さんだ。そして司会は紫さんのご主人の金子望さん。竹中労を最もよく知る人たちだ。これ以上のメンバーはない。トークは盛り上がった、昔、劇団にいたときに竹中労さんが凄い勢いで抗議してきた。誰も先輩はいなくて希林さんが応対した。堂々と喧嘩した。それがよかったと労さんに気に入られて、それ以来の親友だという。演劇、歌、映画……と広い分野で仕事をした労さんだし、よく喧嘩もした。でもあれだけ本気で闘った人はいないという。また、ライターとしても命がけだった。首相夫人を批判し裁判沙汰になった。それでも一歩もひかない。今なら、「そんな危ないライターは使えない」と企画会議でボツになる。でも、そんな労さんの資質には、大マスコミの記者もあこがれていた、と小泉さん。そうした闘いをどうやって継いだらいいのかと水道橋博士は言う。彼は中学生の頃に労さんの『ルポライター事始』を読み感動し、よし俺もルポライターになろう、と決意したという。今、表現活動をしながら、どうしたら若い人達に伝わるのかを考えている、という。労さんは音楽番組にもよく出ていたし、沖縄島唄発掘にかける情熱も凄かった。何十回となく沖縄に行き、最後は沖縄で倒れ、タンカのまま東京に運ばれて亡くなった。その闘いの様子を小浜さんが語る。僕も、「敵」だと思っていた労さんの存在がどんどん大きくなり、取り込まれていった話をした。労さんは文章もうまいし話もうまい。「だから騙されちゃダメだよ」なんて冗談を言う余裕もあった。

口先だけの運動家は嫌いだった。実務能力が抜群にあった。しかし、他の革命家や運動家たちは、そういう人を軽蔑する。「なんだ事務屋か」と言った。俺は大きく、革命を考えている、そんな事務はどうでもいい、と言った。わざと時間に遅れて行く。連絡もしないし、とれない。それこそが大物の証明だと思う。これは右翼にもいえる。ところが労さんは、「革命とは実務にある」と言った。人に連絡をして、集会をやったり、ビラをつくる。そういった実務が出来なくてはダメだというのだ。竹中工務店をもじって、自分のことを「竹中労務店」とも言っていた。

そうでありながら、ただ人を集めるのではない、個人の自立を尊重していた。「人は弱いから群れるのではない。群れるから弱いのだ」と言っていた。これは組織運動の陥りがちな欠点なんだと言っている。その上で、「右も左もない」と言い、それを実践していた。「天皇を理解できなければ共闘できないのか」と僕らに言っていた。「当然じゃないか」と僕は反発した。三島由紀夫だって東大全共闘と討論した時、「君たちが一言、天皇と言ってくれたら共闘できる」と言ったが、全共闘は言わない。それで共闘の話はナシになった。三島のこの言葉、態度に尽きていると思った。だが、労さんと付き合っている中で自分の確信が段々と崩れて行った。その過程は5年前に出した『竹中労』（河出書房新社）に書いた。今でも分からないことはあるし、心の中では喧嘩している。今でも喰ってかかりながら、それでも影響を受けている。

10月17日（月）　午後9時、テアトル新宿に行く。〈若松孝二生誕80周年祭。命日特別上映〉を見に行く。急遽《きゅうきょ》決まったようだ。だからレイトショーの上映が終わった後、一夜限りの上映会だ。普段はあまり見られない映画を、ということで選ばれたのは、この二本だ。一本目は松居一代主演のエロい「衝撃パフォーマンス」。高校生と女性教師の愛の逃避行の物語だ。もう一本は、河合塾（予備校）の宣伝用に作られた「もえろ青春の1年」だ。予備校生の青春を撮りながら、そんな枠をぶち破った映画になった。牧野剛さんなど名物講師が出てきて、大学でもできない〈運動〉をやる。あまりに激しい映画のため、当の予備校でも上映できないという。映画だけが自己目的化して暴走し、革命化したのだろう。

この衝撃的な二本の映画は若松監督が作った。助監督は井上淳一さんで、この人が実質的に撮った。映画が終わったあと、井上監督が「解説」をする。そして、「今日は、若松監督を知る人も来ているので登壇してもらい、若松監督について語りたい」と言う。歌手のPANTAさん、映画監督の片嶋一貴さん、そして僕が呼ばれて、壇上でトークをした。

破天荒で、よく喧嘩していた監督だった。でも、作品は素晴らしかったし、激しい中にも温かみがあった。まだまだ撮りたい映画もあったと聞く。会津若松の闘い、沖縄戦、七三一部隊などだ。井上、片嶋監督が後を継いで撮ってほしい。僕はそう言った。トークが終わった時は、12時を過ぎていた。その後、監督たちと居酒屋で飲み、家に帰ったのは午前3時だった。

第3回 三重県に三回行った

『創』17年1月号

森田必勝氏のお兄さんと

11月は三度も三重県に行った。「もう、三重県に住んだらいいでしょう」と友人に言われた。三重県四日市は森田必勝氏の故郷だ。70年11月25日、自衛隊市ヶ谷駐屯地で三島由紀夫とともに自決した青年だ。当時25歳。世に「三島事件」と言われ、三島氏が主導し、「楯の会」4人を連れ、学生長の森田氏を道連れにしたと思われている。しかし違う。

森田必勝氏たちの提言、もっと言えば三島氏を「突き上げ」た側面が多い。「むしろ森田必勝事件だった」という文章を僕は昔、書いたことがあるし、その確信は今も変わっていない。当時、三島氏は世界的な大作家だった。一方、必勝氏は右派学生の間では知られていても一般的には無名の青年だ。25歳。これからの青年だ。考えてもみてほしい。45歳で、やることは全てやった大作家が、これからという25歳の青年を「死のう」と誘えるだろうか。それはない。実際、最後の最後まで、「森田、お前は生きろ！」と何度も叫んでいる。しかし必勝氏の信念は変わらなかった。

70年に三島氏が自決したので「三島事件」と言われている。そう思っている人が多いが違う。三島氏が一人で自衛隊に行き自決していたら、それは「作家の自殺」として扱われただろう。舞台装置は派手だが、「作家の自殺」だ。太宰治、芥川龍之介、川端康成などの「作家の自殺」と同様に扱われただろう。だが三島氏は「楯の会」の４人を連れて行き、演説をし、「楯の会」学生長の森田必勝氏と共に自決した。だから「一作家の自殺」ではなく「三島事件」として全世界に衝撃を与えたのだ。当時、右派学生運動をやっていた僕らだって三島氏一人が死んだのなら、尊敬する作家の死として悲しんだが、あれほどの衝撃は受けなかった。また、その後の「新右翼」はなかった。

あの時、学生運動の季節は終わり、左右の活動家たちも運動をやめ、企業に勤めたり、郷里に帰って家業を継いだり、弁護士や政治家になるための準備をしたり…と、「こっちの世界」に戻っていた。僕も産経新聞に勤めていた。森田必勝氏をオルグして運動の世界に誘い込んだ我々はみな、転身していたのだ。それなのに、「誘われた」森田氏はその後もずっと運動を続け、三島氏と共に自決した。「憂国青年を代表して」自決した。たまらなかった。申し訳ないと思った。そして昔の運動仲間が再び集まり出した。72年には一水会が出来た。11月25日前後には全国で三島、森田氏の慰霊・顕彰の集まりが持たれている。その中から大学教授になった人もいるし、政治家になった人もいる。今、安倍政権を支え、憲法改正をやらせようと強力に推進している日本会議もそうだ。

四日市には全国から多くの人が森田氏の墓参に訪れている。僕も年に一度は必ず行っている。また、11月には必勝氏を偲《しの》ぶ講演会や映画上映会もやっている。去年は評論家の宮崎正弘氏が講演した。彼は早大時代、運動の同志だった。また、３年前は若松孝二監督の映画「11・25自決の日　三島由紀夫と若者たち」の上映が行われ、映画の中で森田必勝役をやった満島真之介さんが特別講演をしてくれた。

満島さんは撮影に入る前、四日市の実家を突然訪れている。お兄さんが出て、会った。その瞬間、「必勝が帰ってきた!」と思ったという。不思議な話だ。必勝氏は好青年だが、満島さんのような美男子ではない。それにもし生きていたら60代後半だ。お兄さんに聞いたら、こう答えていた。「私にとって必勝はいつまでも25歳のままです」。そうなのか、と思った。

今年必勝氏のお墓参りに行ったのは11月19日(土)だ。東京、関西からも来る人がいて、10人ほどでお参りをした。元「楯の会」の人も数人来ていて、久しぶりに会った。お墓参りのあとは必勝氏の実家に行き、お兄さんに会い、話を聞いた。祭台に写真が飾られている。25歳のままだ。庭には必勝氏の胸像が建てられている。その後、必勝氏が出た海星中学、高校を訪れた。カソリックの学校で、中・高一貫校だ。6年間もキリスト教の学校に通ったのだ。大学時代は全く知らなかった。僕だって高校は仙台のミッションスクールだ(東北学院榴ヶ岡校)。でも2人とも言わなかった。「右翼のくせにミッションスクールを出たのか」と馬鹿にされたくなかった。今の運動に入っている若者にしたら「烈士・森田必勝」しか知らない。三島事件の時、バルコニーで演説する三島氏の隣りに、ハッシと睨《にら》みつけ、仁王のような形相《ぎょうそう》で立っている必勝氏。テレビを通した、その「顔」しか知らないのだ。でも実際の必勝氏は、とても明るく、剽軽《ひょうきん》だった。また、右派の学生の中にあっても変わった発想をする学生だった。たとえば、天知茂の歌う「昭和ブルース」が好きだった。「生まれた時が悪いのか、それとも俺が悪いのか」という歌だ。よく歌っていた。そんな思い出話をすると、今の若者たちから反論をされる。「鈴木さんの記憶違いでしょう。きっと『昭和維新の歌』の間違いですよ」と。しかし僕は実際に見たのだ。

また、当時は司馬遼太郎の『竜馬がゆく』がベストセラーになり、〈竜馬ブーム〉だった。右派学生は皆、読んでいた。「俺は竜馬だ」と思っていた。今は明治維新と同じだ。竜馬だって脱藩したんだ。我々だって法律なんか軽く超えるんだ、と思っていた。左翼だって竜馬を愛読し、皆、気分は竜馬だった。ただ一人、必勝氏だけが、そのブームに背を向けていた。「俺は土方《ひじかた》歳三の方が好きだね」と言っていた。「馬鹿な！　土方は新撰組の副長じゃないか。我々の先輩、勤工の志士たちを殺しまくった悪人じゃないか」と皆、必勝氏を批判した。必勝氏は答えた、「新撰組は京都で天皇のために闘ったのだ。それで函館まで行って闘った。最後まで闘い、死んだ。男らしい男だ」と。まだ新撰組が見直されるかなり前だ。必勝氏に言われて司馬の『燃えよ剣』を読んで、いっぺんで土方が好きになった。土方の最後の戦地・函館の五稜郭には四度も行った。それに忘れられないことがある。民族派学生運動も60年代後半になると、よく仲間割れ、内ゲバがあった。必勝氏もそれまでやっていた団体をやめて、「楯の会」に入った。しかし以前の団体からは「除名処分」を受けた。それも、「共産主義者に魂を売った」という理由で。自分たちこそ正しい運動である、そこをやめるなんて敵になるも同じだ、という理屈だ。

その団体と僕らも喧嘩《けんか》した。ある日、数人で乗り込み、自己批判させ、詫び状を書かせた。それを持って意気揚々と引き揚げた。早大には必勝氏がいた。「これを見てくれ！　君のかたきを討ってやった」と見せた。大喜びすると思ったら、「少ない団体で、小さなことで争っていても仕方ないでしょう」と言う。えっ?と思った。こっちが命がけで悪と戦っているのに、と思った。必勝氏はもっと大きなことを考えていたのだ。70年11月のことだ。「鈴木さん、考えることが小さいよ」と言ったのだろう。勿論、事件後、分かったことだが。そんなことを反省し、必勝氏にこれからのことも相談している。そのために年に一度は必ず四日市に行っている。

この4日前も三重県に行った。11月15日（火）だ。鳥羽から船に乗って神島に行ったのだ。三島由紀夫の小説『潮騒』の舞台となった島だ。数年前に『三島由紀夫全集』は全巻読破したが、『潮騒』などの明るい恋愛小説は最後の最後だった。三島が二・二六事件に影響され、政治的評論、小説を書き始めてからのものしか読んでいなかった。これは間違った読み方だった。それで、突然思い立って、『潮騒』の舞台に来たのだ。29歳の時に書いたが、すごい小説だと読み返してみて思った。神島は周囲4キロの小さな島だ。すぐに見て回れると思ったが、違った。まるで回りきれない。考えることは多かったが、次にゆっくり時間をかけて回ってみようと思った。

翌日は、松坂に行って本居宣長記念館。宣長の旧居「鈴屋《すずのや》」を見た。また、「松浦武四郎記念館」も見た。北海道を探検し、「北海道」と名付けた人だ。わざわざ東京から来たというので館長の中野恭さんも挨拶に出てきてくれて、しばらく話をした。おかげで北海道のことがよく理解できた。以前三浦綾子の小説『泥流地帯』を読んでいたら、火山の爆発事故に三重出身の人が大勢犠牲になったと出ていた。それ以前に、なぜ三重の人たちが大勢で北海道に渡ったのかが分からなかった。多分、松浦武四郎の影響があるのだろう、北海道に限らず全国に雄飛するという志がある。そんな土地柄なのだ。

去年、海星高校に行った時、森田必勝氏を知る先生がいた。「地元にもいい大学があるのに、必勝氏は雄飛の志に燃えていたんだろう」と。早稲田に入って全共闘運動をしたいと思っていたのだ。ところが、全共闘に失望し、そんな時に右派学生にオルグされてしまった。全共闘が自分の理想と違うと思ったら、運動なんかやめて一般学生になればよかった。ガリ勉をして大学を出てから政治家になるとか、考えればよかった。だが、今、何かやらなくては、という気持ちが強かったのだろう。右派学生の誘いに乗ってしまった。僕らも責任を感じている。

さて、三重に来たもう一回だ。11月6日(日)。名張市に来たのだ。「名張毒ぶどう酒事件」の名張だ。奥西勝さんは冤罪らしいと言われていたが、死刑が確定し、その後もずっと拘置所だ。だが、死刑は執行されない。あとで冤罪と分かると法務大臣は「殺人者」になる、だから恐くてサインできない。奥西さんが獄死するのを待っていたのだ。残酷な話だ。現地の人が案内し、説明してくれるはずだったが、急用が出来たとのことで、東京、関西から行った人間だけで、レンタカーを借りて、地図を頼りに現地を回った。ここは江戸川乱歩が生まれた土地でもあり記念碑もあった。乱歩が解決してくれたらよかったのに。名張毒ぶどう酒事件が起きた時は、乱歩もまだ生きていた。これを題材にした小説を書いたのではないかと思い探したが、ないようだ。生まれ故郷であるが故に書けなかったのか。書くことをためらわせるような旧《ふる》い因習や人間関係があったのか。

「名張毒ぶどう酒事件」については何冊か本が出ているし、何度も映画になっている。「犯人はうちの女房に違いない」などとテレビで言ってる人もいた。誰が犯人でもおかしくないのだ。その中で、マスコミや一般の人々に受け入れられる（喜ばれる）仮説を警察が提供し、「それでいこう」となったのだろう。それが奥西さんが三角関係に悩み、奥さんと愛人を殺した、という仮説だ。しかし、誰が飲むか、誰が死ぬか、分からない。「結果」からだけ見て犯人を断定するのは危険だ。自供も確証もなく、死刑囚として何十年と拘置所に入れておいて獄死するのを待つなんて、あまりに残酷だ。

第4回 「憎しみの戦後」を超えて

『創』17年2月号

河合塾哲学シンポジウム。12月11日

学校（河合塾コスモ）は今、冬休みだが、特別授業やいろんなイベントがある。12月11日（日）は河合文化研究所主催の「第16回・河合塾哲学シンポジウム」があったので参加した。亡くなった牧野剛先生が特に力を入れていたシンポジウムで、僕も誘われて4年ほど前から参加している。だが難しい。今年のテーマは「人称＝その成立とゆらぎ」。会場は東大弥生講堂一条ホールだ。午前11時から午後6時まで。ハードだ。講演とパネラーは次の通りだ。「自閉スペクトラム症における『私』」（清水光恵）。「私には見えないのに、あなたには見えるものって何？」（森一郎）。「〈対話〉の中の人称」（斎藤環）。「私は思考しうるのか？」（谷徹）。

発表するパネラーは東大や筑波大などの教授だ。各人の発表の後に司会者の野家啓一、内海健さんとの対論がある。そして最後は、パネラー全員に木村敏さんが加わった「全体討論」がある。会場からの質問もあるが、「私はヘーゲリアンですが…」と前置きした質問があったりで、難しい。レベルが高い。予備校が主催なのだが、予備校生や大学生はほとんどいない。ついて行けないようだ。大学の先生、職員、予備校の先生たちで、自分たちの勉強のためにやっているようだ。

パネラーの一人、斎藤環さんとは「言論カフェ」などで二度ほど対談したことがある。僕にも分かるように、やさしく話してくれた。ところが、この日はやたらと難しい。休憩時間に聞いてみた。「どうしたんですか。前はよく理解できたのに今日は全く分かりませんでしたよ」と。「全体の雰囲気に呑まれて、皆に合わせてしまった」と言う。「それに、やさしく話すと馬鹿にされるから」。えっ！と思った。アカデミックな研究発表の場になってしまっている。でも、一般の人達が聞きに来てるんだし…。発表する人達の心理を分析し、レポートするのも面白い、と余計なことを考えてたので疲れた。

12月12日(月)　河合塾コスモで現代文の合同授業があり、参加する。休み中なのに参加する生徒が多い。普段は入試に出た評論や小説をテキストにしてやるが、この日は、「ホセ・ムヒカとは何だったのか」。この不思議な元大統領をどう「読み解くか」だ。大岡、永田先生、それに生徒たちも活発に発言する。新聞に載ったムヒカさんの発言が配られる。それを読んでいろいろな質問が出る。

「〝世界で一番貧しい大統領〟と殊更《ことさら》に強調するのに何かの意図を感じる」「大量消費や資源の浪費を批判しているが、自らもマスコミに出て〝消費〟されているのではないか」といった厳しい質問も出た。それに対し本人は、「それは違う」と言っている。「世界一貧しい大統領」という呼称についても「違う」と言う。「『貧しい人』とは、限りない欲を持ち、いくらあっても満足しない人のことだ。でも私は少しのもので満足して生きている。質素なだけで、貧しくはない」。これはいい言葉だ。

最近僕が対談した岡山典弘さん（作家）のことを思い出した。岡山さんは長い間、県庁に勤めながら三島由紀夫の研究をしてきた。今は県庁を辞めて大学の講師をしている。そして著作活動をしている。『三島由紀夫外伝』（彩流社）、『三島由紀夫の源流』（新典社）、『三島由紀夫が愛した美女たち』（啓文社書房）の３冊の本を出した。どれも力作だ。考えさせられる。11月25日の「憂国忌」で講演していた。その翌日、対談した。四国に帰るというので午前中に対談した。

「力作ですね。書くのに随分苦労されたでしょう」と言ったら、「この３冊を書くために１２００万円を使いました」とさらりと言う。本代や資料代でそんなにかかったのか。ずっと家にいて禁欲的に執筆していたのかと思ったが、ちょっと違う。取材のために全国を回り、必要な本や資料があれば、即、買ったのだろう。これは大いなる「欲」だ。酒や女遊びはしないかもしれないが、こうした方面には惜しげもなく大金を払う。

本が多くなって、そのためにマンションを借りる人もいる。またアパートの部屋をもう二部屋も借りてる人もいる。「物欲」の強い人だ。なみの「欲」ではない。

ムヒカさんの欲はさらに大きい。世の中を変えるための。いや、人々の考え方を変えようとしている。自分を超えた「欲」だ。若い時は、過激なゲリラ闘争をやり、何度も捕まり刑務所に入れられた。ひどい拷問を受け、運動は徹底的に弾圧された。出獄後、選挙に出る。下院、上院議員を経て、大統領になった。自分や仲間たちに対し拷問を加え、弾圧した人間たちに復讐できる立場に立った。普通ならやるだろう。正義の報復だ。でもやらない。「赦《ゆる》す」と言った。とてもできないことだ。14年の獄中体験で多くのことを学んだという。

「人は苦しみや敗北から多くを学ぶ。以前は見えなかったことが見えるようになるから、人生のあらゆる場面で言えることだが、大事なのは失敗に学び、再び歩み始めることだ」

それは独房の中で一人で考えたことだろう。外にいて、革命運動の熱気の中では、とてもこんな反省はできない。自分を見つめることもできない。森達也さんと前に対談した時、こんなことを言っていた。「主語が複数になると述語は暴走する」。すごい言葉だ。話してる人が「私」や「僕」の時は、まだ自分を冷静に見て客観視できる。人間なんて間違うことが多いし、失敗もする。そうした人間の一人だと自分のことを考えられる。謙虚にもなる。ところが、同じ考えの人達が集まり出し、集団になると、「我々」と言い出す。「我々は！」と言うと、いきなり元気がよくなる。強い主張が口をついて出る。「○○を打倒するぞ！」「○○を許さないぞ！」となる。「我々は！」になった途端に謙虚さや自省、反省はできなくなる。自分たちの誤ちなど絶対に認めない。日本を愛し、伝統を守るという人達は、日本のかつての失敗や間違いを認めない。そんなことを言う人間は「反日だ！」と罵《ののし》る。

これでは「愛」ではないし、「保守」でもない。歴史を見る勇気・覚悟がないだけだ。一人ならば冷静に考え、これはおかしい、これは違う、と言える。しかし集団になると言えない。言うとその集団から追放されるかもしれないと思うからだ。だったら追放されたらいいだろう。同じ考えの人だけで集まると、気持ちがいいことは事実だ。「そうだ、そうだ。異議なし！」と言う。共通の敵に向かって、「許さないぞ！」と叫ぶ。気持ちがいい。より強く、より大声で叫ぶ人間にひきずられる。これは誰だって体験があるだろう。竹中労は言っている。「人は弱いから群れるのではない。群れるから弱いのだ」と。弱い人間が集団をつくり、「そうだ！　そうだ！」と叫ぶ。強くなったように思う。でもそれは錯覚なのだ。ムヒカさんは言っている。

「もう一つ、ファナチシズム（熱狂）は危ないということだ。左であれ右であれ宗教であれ、狂信は必ず異質なものへの憎しみを生む。憎しみのうえに、善きものは決して築けない。異なるものにも寛容であって初めて、人は幸せに生きることができるんだ」

なるほど、これは言える。「寛容」というと政治運動では嫌われる。「妥協」「転向」「変節」と思われる。どこまでも変わらず闘い続ける。これこそが正義だと思われる。これは自分の運動体験からも言える。敵を特定し、そこへ怒りや憎しみを集中させる。それでこそ運動は大きくなる。ずっと、そう思ってきた。いや、政治家でも、右翼、左翼でも、市民運動でも皆、同じ力学で動いてきたのだろう。怒りや憎しみの発するエネルギーを用いて、運動を起こし、それをバネとして運動を伸ばしてきた。「寛容」などは必要のないものだった。運動を停滞させるものだった。

学生時代、僕らは「諸悪の根元＝日本国憲法」と言ってきた。今の日本を悪くしたのは憲法だ。経済、政治、あらゆる問題で日本がダメになっているのは憲法のせいだ、とそこに怒りと憎しみを込めてきた。これは今、自民党も使っている。自民党は必死に国のために闘ってきた。でも、まだ日本が戦後から脱却できないのは憲法があるからだ。アメリカ占領軍が日本弱体化のために日本に押しつけた憲法だ。これを改正しない限り、日本の再生はない。そう言っている。また中国・韓国がいるからだ、とも言う。だから中国、韓国に対する批判やヘイトスピーチを繰り返す。中国・韓国が反論すると、「ほらみろ、脅迫だ。軍備を増強しなくては…」と言う。憎しみの連鎖だ。

アメリカではトランプが次期大統領に決まった。ヨーロッパにもトランプ旋風は吹いている。極右政権も次々と生まれようとしている。やられたらやり返す。自分の国こそが大事だ。他の国はかまっちゃいられない。憎しみと怒りの戦後史だ。それを受け入れ、後に続くのが愛国であり、保守だと思うものが多い。しかし、そうか。

12月5日(月)　安倍首相は12月にアメリカのパールハーバーに行き、慰霊すると言明した。「冗談ではない。謝罪するのか！」「許せない！」と言う保守派もいる。しかし、憎しみと怒りの戦後体制を乗り越えるのだ。これは安倍さんに勇気があると思う。「靖国神社に行く方が先だろう」「あの戦争は正義の戦だ。慰霊に行くな」と言う人もいる。そうした人々の怒りと憎しみを超えるために行くのだ。

その前には、安倍さんがプーチン露国大統領を山口に迎える。トップ同士で話し合い、北方領土問題を話し合う。一部にはまだ反対もある。「プーチンに騙されるだけだ」「会うな！」と。でも会わなければ北方領土問題は1ミリも進まない。新党大地の鈴木宗男さんを初め、全野党が応援している。これは国家的な交渉だ。皆が待ちのぞんでいる。与野党の壁を超えて、一丸となって協力している。

また、民族派の中からもこれを支援しようという動きがある。一水会の木村代表が中心になり、自民、新党大地、日本維新の会などと協力し、後押しする体制ができてきた。これは画期的なことだ。12月5日、高田馬場で、その集会は行われた。全国から多くの支援者が参加してくれた。政治家では鈴木宗男さん、西田昌司さん(自由民主党)。吉田豊史さん(日本維新の会)…などだ。開会して、すぐに露国と日本の国歌演奏がある。驚いたし、感動した。僕は右翼運動に入って50年が経つが両国国歌の演奏を聞いたのは初めてだ。かつては「打倒」の対象だったソ連、そして露国。〈日露平和条約締結促進国民大会〉が行われたのだ。昔だったらそれだけ見ても左翼だ。でも今、日本が変わろうとしている。新しい風が吹いている。

第5回 三島由紀夫生誕祭

『創』17年3月号

「三島由紀夫生誕祭」で。1月14日

1月14日（土）　「三島由紀夫生誕祭」が行われ、参加する。この日が三島由紀夫の誕生日だ。生きていれば92歳だ。亡くなった人の「生誕祭」は珍しいし、元々は日本にはなかったことだろう。三島といえば、どうしても自決した11月25日が思い出される。毎年、この日には全国で追悼、顕彰の集まりが行われている。新聞やテレビでも、この日に合わせて報道される。三島は自決の7カ月前に外国の記者と話し、そのテープが発見されたと報道されていた。自決から47年たって発見され、その音声が1月12日、テレビで流れていた。自分の小説についても客観的に見て反省している。自衛隊での自決はもう決めていた。だからどんな取材でも「死」については言及しないはずだ。一切気付かれてはならない。全ての面で慎重に、秘密裡に計画は進められていた。ところが、この外国人記者からの取材には、そんなことは忘れたかのように、死についても自由に語っていた。「死が近づいている」といった表現もしている。当時、三島は45歳。死など考えられないはずだ。周りの人に不審がられるのではないか。警察や自衛隊だって三島に警戒するのではないか。

僕の見ていたテレビでは、歌手の美輪明宏さんが出ていて、解説していた。自決の7カ月前だから、死などについて絶対に言及しないはずだ。それなのに大胆に、自由に話している。「三島さんは無防備だ。まるで子供のようだ」と美輪さんは言っていた。全く信じられない、と言う。

このテレビを見た翌日、1月13日(金)に美輪さんに会ったので、この話を詳しく聞いた。美輪さんのコンサートが昭和女子大学人見記念講堂であり、それを聞きに行ったのだ。テレビ局の人が美輪さんの事務所に連絡してくれて、特別に会えたのだ。終了後、楽屋で「きのうテレビで見ました」と言ったら、「本当に純心で、子供のような人でしたね」と言う。そして三島のこと、「楯の会」の人々のことなどについて話してくれた。

美輪さんに会った翌日（1月14日）に「三島由紀夫生誕祭」があった。だから美輪さんと会った話をした。そしたら、元「楯の会」の倉持清氏が衝撃的な話をする。美輪さんは三島と親しかったし、かなりズケズケとものを言った。軍服を着た三島に会った時、「大きな肩パットだね。三島さんは一体どこに行ったの」と驚いて見せたり、何でも言える人だ。他の人なら出来ないし、大喧嘩になっている。美輪さんだから出来るのだ。「あの時もそうでした」と倉持氏は言う。

新年会で三島の家に人が集まっていた。美輪さんも来ていた。その隣に倉持氏が座った。突然、美輪さんが言った。「三島さんの後ろに何かいる」と。霊がついているという。三島は一気に酔いが醒めただろう。でも冷静を装い美輪さんに聞いた。「それは西郷隆盛か?」。美輪さんが答える。「違います」。「甘粕か?」、「違います」。それから何人かの名前があがり、最後に「磯部か?」と聞いた時に霊が消えたという。「これだ」と思い、「その人です」と答えた。

「美輪さんの口から磯部という名前が出たわけではない。多分、美輪さんは磯部の名前も知らなかったし、二・二六事件のことも知らなかったでしょう」と倉持氏は言う。でも、二・二六事件ぐらい知っているだろう。美輪さんの言葉を聞いて三島はどう思ったのか、「納得してました。満足そうな様子でした」。この時から二・二六事件は「自分の問題」になったのだろう。自分の中には磯部浅一がいる。そう思った。磯部は二・二六事件の決起将校だ。決起が失敗し、逮捕され銃殺される。しかし獄中で日記を書き残している。自分たちは天皇を慕い、天皇のために決起したのに、その声は届かなかった。それどころか、自分たちは天皇によって鎮圧され、銃殺される。天皇は判断を間違っているのではないか。「天皇陛下、何と云う御失政でありますか」。「皇祖皇宗に御あやまりなされませ」と天皇を諫《いさ》める。天皇への呪詛《じゅそ》だ。「天皇絶対」であるはずの皇軍将校がここまで言うのだ。三島はこの「獄中記」に影響を受け、『憂国』を書き、さらに映画にもした。

この『憂国』を書く前に三島は、ペンネームで凄い小説を書く。『愛の処刑』だ。教師と生徒の禁断の愛。それにこれは男同士の愛の小説だ。だから三島の死後、出来上がった映画は普通の映画館では見られない。「ハード・ゲイの映画」として、上野のゲイ映画専門館でしか上映されなかった。我々は見ていない。ところが最近、風向きが変わってきた。いろんな人の証言から、この小説は三島の作品だろうと認められた。今は新潮社の『三島由紀夫全集』にも入っている。また映画「愛の処刑」を製作した伊藤文學さんと1月に対談した時、映画を見せてもらった。監督は野上正義さんだ。彼は知り合いだ。しかし、この映画のことは一言も言わなかった。厳しく口止めされていたようだ。「三島由紀夫生誕祭」の話に戻る。1月14日、午後6時半から銀座タクトで行われた。今年で4回目だ。椎根和さん、横山郁代さん、御手洗志帆さんの3人が中心になって行われてきた。去年からは僕も参加している。椎根和さんは『平凡パンチ』で三島番記者だった。三島のことなら何だって知っている。三島のこの作品はヨーロッパの誰々の文体に影響を受けて書いたもので、とか、教えられることは多い。『平凡パンチの三島由紀夫』という名著がある。横山郁代さんは歌手だ。高校生の時に三島に会っている。両親がやっていたお菓子屋に三島は毎年のように来てマドレーヌを買っていった。その時、横山さんを始めとする女子高生探偵は三島のあとをつけてみた。その時の三島のコミカルな反応も描写されている。御手洗志帆さんはテレビのプロデューサーだ。

この生誕祭は、二部に分かれている。第一部は「深読み座談会」。三島の『美しい星』をめぐって語り合う。椎根和、横山郁代、御手洗志帆、そして僕が加わり「深読み座談会」は始まる。ここでの椎根さんの発言にはショックを受けた。三島の作品、一つずつの知識が半端ではない。いつも教えられる。去年の生誕祭では、三島の『命売ります』を取り上げた。出版社、書店が大宣伝をして、反響も大きくて、本の売り上げも大きい。『命売ります』は三島には珍しく、アクション小説だ。「まるで007みたいですね」と僕は言った。その時の椎根さんの言葉が忘れられない。「そうです。だってイアン・フレミングの007に影響を受けて三島は書いたのですから」。「ホントですか」と思わず聞き返した。椎根さんは具体的な証拠をあげて説明する。凄い人だと思った。

今年は『美しい星』がテーマだ。映画化され、今年の5月に上映される。監督は吉田大八、出演はリリー・フランキー、亀梨和也、橋本愛、中嶋朋子。埼玉県飯能市に住む一家の物語だ。でも普通の家族ではない。他の星から来た異星人だ。4人の家族はその出身星も違う。でも迫りくる核戦争の危機から地球を救おうと立ち上がる。三島には珍しいSFだ。昔読んだ時は、何だこれは、と思った。でも、この小説の発表後、キューバ危機が起こる。米ソの核戦争が起こるのではと思われた危機だ。またハリウッドでは「未知との遭遇」や「スターウォーズ」のような作品がドッとつくられ、世界中にブームを巻き起こす。人類は異星人と会う。あるいは異星人と闘う。そんな映画だ。三島はそんな時代が来ると感じ、予言したのだろう。凄い作品だと思った。

「生誕祭」でそのことを言った。またも椎根さんにギャフンと言わされた。「異星人や宇宙戦争のブームが来ると予言したわけではないです。三島の『美しい星』がその状況を作ったんです。むしろ、スピルバーグにしろ、ルーカスにしろ、三島の本を読んで、映画を作っているんですから」。これも、「ホントかよ」と思った。椎根さんは証拠を見せてくれる。やはり椎根さんは凄い。頭は混乱したが、とても勉強になった。また第二部では横山郁代さんが三島にささげる歌をうたってくれた。

1月22日(日) は午後6時から千駄木の喫茶店を借り切っての講演会だ。「こんな愛国心はいらない」というテーマで僕が話し、そのあと質疑応答だ。質疑の方が圧倒的に時間が多い。「愛国心」や「右翼・左翼」に対する質問が集中した。この時、考えてみたが、愛国心について、本格的に考え、書いたのは2006年からだ。11年前だ。この年に『愛国者は信用できるか』(講談社現代新書)を書いた。その時初めて愛国心を客観的に見たと思う。それまでは「当然」だと思っていたし、自分の中で分析したり、考えたりする対象ではなかった。この時、愛国心について書かれた文や本を随分と読んだ。それまでは愛国心に疑問をもつ人がいるとは信じられなかったし、知る機会もなかった。たとえば、サミュエル・ジョンソンはこう言っている。「愛国心は、ならず者の最後の避難場所である」。

酷《ひど》いことを言うもんだと思った。しかし、僕自身の長い右翼活動史の中では、確かにこういう人もいた。運動をしてきたからこそ分かることだ。そして決定的なのは三島由紀夫の言葉だった。自決する2年前、1968年に朝日新聞にこう書いている。「愛国心という言葉は嫌いだ」と。「この言葉には官製のにほひがする」「愛は無限のはずなのに、なぜ国境で区切られているのか」と。日本人の中にいるのに自分だけがポンと上空にのぼり、その高みからペットや陶器などを愛《め》でているような気がする」。

学生時代、三島のこの言葉は読んでいた。でも心を動かされることはなかった。今は、右翼やネトウヨ、保守派の人々が大声で「自分こそ愛国者である」と言っている。当時はそんな時代とは違う。三島がこれを書いた時は、ネトウヨや保守派などはいない。右派的な人でも「愛国心」なんて言えなかった。言えば左翼学生に糾弾され、自己批判をさせられた。そんな状況でも「愛国心」「憲法改正」を言う人は、命がけだった。左翼学生に糾弾されるし、家に火をつけられた人たちもいる。三島の書いた「愛国心」を読みながら、「三島さんも困るよな。こんな文章を書いて」「左翼に迎合してんじゃないの。自分の本を買ってほしくて」と右派学生同士で話し合った。全く三島を理解してなかったのだ。左翼と闘う時の「知的武器」と思っていた。『憂国』や『文化防衛論』などは「役に立つ」と思ったが、『美しい星』『潮騒』などは左翼と闘う時に役に立たない。そんなふうに見ていた。三島の「いいとこ取り」をしてたのだ。しかし最近は分かってきた。政治的でない本もキチンと読まなくてはダメだ。三島を体感しなくてはダメだ。そんな意味からも、昔、読み飛ばしたような小説も読みなおしている。また『美しい星』の舞台になった埼玉県飯能市に行ってきた。その前に『潮騒』の舞台の神島に行ってきた。現地に行くと、グンと理解が広がったような気がする。三島の理解が深まったと思う。

第6回
「菜の花忌」に出た

『創』17年4月号

元「楯の会」の倉持清氏と、2月20日

2月18日(土) 午後2時から、NHK大阪ホールに行く。第21回「菜の花忌」に参加する。司馬遼太郎を追悼し、司馬の世界を語り合う集いだ。東京と大阪で一年交替で開かれている。去年は東京の日比谷公会堂だった。満員だった。今年も広いNHKホールが満員だ。僕は学生時代から司馬の作品は随分と読んできた。影響を受けてきた。『竜馬がゆく』『坂の上の雲』『国盗り物語』『翔ぶが如く』『燃えよ剣』『花神』『峠』などだ。でも今日のテーマになっている『関ヶ原』は読んでない。「菜の花忌」は毎年、「司馬遼太郎賞」を選び、この贈賞式をやり、第2部では司馬作品を取り上げての講師のトークがある。これは興味深い。今年の司馬遼太郎賞は作家の葉室麟氏。そして受賞記念のスピーチがある。第2部はシンポジウム「『関ヶ原』—司馬遼太郎の視点」。パネリストは次の4人。原田眞人氏(映画「関ヶ原」監督。豪華キャストで今、撮っている。今年の夏に公開される)。葉室麟氏(作家)。伊東潤氏(作家)。千田嘉博氏(奈良大学教授)。司会は古屋和雄氏(元NHKアナウンサー)。『関ヶ原』は読まなくちゃと思った。今年映画化もされるという。楽しみだ。司馬は小説だけでなく紀行、エッセイ、対談などの作品も多い。『この国のかたち』『風塵抄』などもあるが、僕が好きなのは『街道をゆく』だ。日本のいろいろな街道を取り上げながら、そこから歴史が手繰《たぐ》り寄せられる。街道を通し、古い昔から急に現代に話が飛んだりする。外国へも話は飛ぶ。43巻あるが僕は全巻読んだ。かつてNHKで放映され、そのDVDが今、出ている。このDVDも全巻、僕は見ている。もしかしたら、司馬作品の中では最高傑作かもしれない、と思っている。「菜の花忌」は午後6時に終わる。大阪の人達と居酒屋に行き司馬作品について、大いに飲み、大いに語った。遅くなったのでビジネスホテルに泊まる。

2月19日（日）　京都へ行く。細見美術館「鈴木其一展」を見る。それから、南禅寺、銀閣寺を見る。京都は見る所が沢山ある。歴史の勉強にもなる。

2月20日（月）　午後5時から元「楯の会」一期生・本多清氏と対談。2年前、11月25日の「三島特集」で、テレビに彼は出ていた。三島について、「楯の会」について熱く語っていた。その時、本多氏の奥さんも出ていて、三島の自決に触れ、「あなたも一緒に死にたかったのよね」と言う。この一言は衝撃的だった。「僕は映画『憂国』をやらなくちゃいけないのかと思った」と本多氏は言う。

70年の10月だった。「来年の春に結婚するので仲人をお願いします」と三島に頼みに行った。でも三島は70年11月25日の決起・自決は決めていた。「来年の春」など三島はいない。でも本多氏の話を聞いて、「それはおめでとう」「仲人はやらせてもらうよ」と即答した。全く迷うことはなかったという。そして11月25日の自決。その直後、三島から手紙が届いた。結婚式に出れなくて申し訳ないと書かれ、これから結婚する奥さんから大事な旦那さんを奪うわけにはいかない、と書かれていた。「結婚する」と言ったので自分は決起のメンバーから外されたんだ、と思い悩んだ。映画「憂国」をやらなくちゃならないのか、と本当に悩んだという。「憂国」の主人公は昭和維新を目指す青年将校だ。しかし、仲間たちは、新婚の彼には声をかけずに二・二六事件を起こす。決起は失敗、「反乱軍」とされ、その追討命令が下り、彼も出動しなくてはならない。板ばさみになった彼は、出動の前日、奥さんと共に自決する。似ている、と本多氏は思った。「結婚する」と言ったがために決起メンバーから外された。俺も「憂国」のように自決すべきか、悶々《もんもん》として苦しんだという。奥さんだって悩んだ。私と結婚したために三島と同行できなかった。そしてテレビでのあの発言になった。本当は本多氏は自宅で一人で取材に応じていた。そこに奥さんがお茶を持ってきた。「じゃ、一緒に座って下さい」と言われ、あの言葉がポロっと出ちゃったんだという。「あなたも一緒に死にたかったのよね」と。ただ、あの手紙は本多氏への祝福と感謝、それに本多氏を認め、評価していたんだという意味がある。君のような優秀な人を誘わなくて申し訳ない。奥さんから大事な旦那さんを奪いたくなかったからだと書いた。でも本当は違うのだ。「来春結婚します」と言った時に、すでに決起の人選は決まっていた。1カ月前だし、かなり細かな所まで計画は出来ていた。「君が独身なら連れて行くのに」というのは三島の「嬉しがらせ」だ。でもそれで本多氏は生涯悩み苦しむことになる。

若松孝二監督の「11・25自決の日 三島由紀夫と若者たち」では、このエピソードも脚本には書かれていた。企画で僕も参加したので話していたからだ。ところが作品が長くなるために後半のエピソードは大半、切られた。残念だ。最近聞いた話だが、実際に映像も撮っていたという。三島の自決の直後、三島からの手紙が届く。それを読んで号泣する本多氏。フィルムがあるのならぜひ見たい。本多氏にも見せてやりたい。

「楯の会」を作った三島は、何も初めから決起やクーデターを考えていたわけではない。元青年将校の末松太平氏らと知り合い、二・二六事件に興味を持ち始めたからだ。さらに、二・二六事件の磯部浅一が自分についている、と確信してからだ。その確信の根拠を作ったのは美輪明宏だ。前回も書いたが、美輪が三島の背後に何かついてると言った。三島も驚いただろう。「西郷隆盛か？」「違う」「甘粕か？」「違う」。最後に「磯部浅一か？」と聞く、その瞬間、後ろの霊がパッと消えた。「その人だ！」と美輪は叫ぶ。美輪は磯部の名前も知らなかった。二・二六事件の中心人物だということも知らない。むしろ三島の誘導に乗ったような形だ。この後、三島は納得し満足したような感じだったという。そうだ、その時、本多氏は美輪の隣りに座っていたという。他にも何人かの「楯の会」会員がいた。

本多氏は最近、霊が見えたりその力を感じたりするという。美輪さんの隣りに座った時だって、その能力はあったのではないか。だったら、美輪さんが見たものが本多氏にも見えたのではないか。もし見えていたら、かなりの信憑性《しんぴょうせい》がある。三島は、いろんな人の名前を言う。「磯部か？」と聞いた瞬間、霊は消えた。それで美輪は「この人です」と答える。その現場に本多氏はいたのだ。さぞや鬼気迫る雰囲気だったのだろう。「その場に本多さんは居たんでしょう。三島についた霊を見たんですか」。「いいえ、何も見えませんでした」と言う。何にもない中で、「この人は誰だ？」と三島と美輪で話し合ってるわけだ。ちょっと怖い。

この他にも、三島事件に関しては、いろんな所で本多氏が出てくる。「楯の会」の制服は夏と冬と二着あった。一人ひとり、身体を測り、ピッタリに作られている。中には下着一枚だ。ワイシャツを着たら、制服は着られない。三島事件から47年。皆、着れない、唯一、本多氏だけが着れる。本多氏には、まだまだ聞いてみたいことがある。それはまた、次の機会にしよう。

2月21日(火) 午後2時、マイク佐藤さんに会う。昔は拓大にいて右派の学生運動をやっていた。日学同、生学連、楯の会の人たちも随分と知っている。大学卒業後、郷里・会津出身の伊東正義の秘書をやり、その後カナダに渡る。今はカナダ国籍を取っている。カナダで温泉を掘り、観光までやっている。日本には年に一、二回帰っている。カナダはアメリカとは全く違う、多民族が混然と暮らしている。また、カナダ、オーストラリアなどと共に英連邦を構成している。英連邦だけのサッカー大会とか、テニス大会などもやっている。また、カナダではフランス語が公用語の地方もあるので、グローバル化の中でのナショナリズムの問題をいろいろと教えてもらう。

2月22日(水) 午後6時、「松木けんこう新年会&誕生日会」。ホテルメトロポリタン・エドモント。すごい人だった。部屋に入り切れない。党派を超えて友人がいるし、皆に愛されている。若い時にボクシングをやっていて、ボクサーになろうと思っていたという。その時の古傷がぶり返し、去年は手術をし、ずっと腕をつっていた。痛々しかった。「でも今年は大丈夫」と握手をしまくっていた。「日本一給料の安い市長です」と自己紹介する河村たかし市長。「政界、財界、そして私のような霊界の人」と挨拶したのは「怪談話」の稲川淳二さん。「鈴木さん、怪談話を聞きに来て下さいよ」と言われたが、実は僕は怖がり屋だ。でも覚悟して一度行ってみようかな。6時半から始まった会は8時半で終わり。じゃ新橋にも行けるかな、と地下鉄に乗る。昔から右翼運動をやっている長谷川光良さんの会だ。ここも超満員だった。長谷川さんとは50年近く前からの知り合いだ。僕がまだ「新右翼」になる前から知っている。違いは認めながら今の運動を理解してくれてる。長谷川さんと同時に、メインゲストの田中京さんにも会いたかった。田中角栄の長男だ。角栄ものが爆発的に売れている。京さんのところにも取材記者が沢山来ている。

「今度ゆっくり角栄さんの話を聞かせて下さいよ」とお願いした。「じゃ、うちの事務所の中辻に連絡して下さい」と言う。「お久しぶりです」と、その中辻さんが挨拶する。中辻正と書かれている。中辻なんて姓は珍しい。「もしかして『論争ジャーナル』の中辻さん？」と聞いたら、そうだという。ウワー、懐かしい。この雑誌が三島を呼んだのだ。三島のもとに萬代という青年が訪ねてくる。国を思う純真な青年で、『論争ジャーナル』をつくりたいという。左翼一辺倒の言論界に殴り込みをかけるという。三島はそこに毎月のように書いた。『論争ジャーナル』の編集長は中辻和彦さん。弟の正さん。萬代さん、持丸博、阿部勉などがいた。「楯の会」の連絡先もここだった。「楯の会」に入りたい人は、ここで面接を受けた。圧倒的な左翼に対して「論争」を吹っかけようというのだ。元気がある。誌面も面白かった。『論争ジャーナル』の編集部は全員「楯の会」に入っていた。

ところが、ほんのささいな事で、両者は対立する。いや、対立ではないな、三島によって斬られる。「論争ジャーナル」にいた「楯の会」の人間は全員除名になった。悲しい事件だった。これについては三島の言い分しか出ていない。「論争ジャーナル」側は喧嘩になることを恐れ、何も言わない。でも50年近くも経ったのだ。きちんと話した方がいい。また、運動と出版活動についても考える材料になると思う。だから近々実現するだろう。

第7回
森友10万人デモに出た

『創』17年5・6月号

「森友10万人デモ」で

3月18日(土)　埼玉県西川口に行く。「憲法カフェ」の講師を頼まれたのだ。以前、『週刊金曜日』にいた白井基夫さんから連絡があって引き受けた。「憲法カフェ」についてはよく知らなかったが、コーヒーを飲みながら皆で憲法について語ろう、という会らしい。どうも護憲派の人が多いようだ。護憲でも改憲でも、どちらでもいい。真面目に話し合ったら分かるところは多いと思う。

この日は午後1時にJR京浜東北線西川口駅に集合。東京から来たのは我々3人。白井さんが車で迎えに来てくれた。車で20分ほどの「ふれあいプラザさくら」が会場だ。会場に入って驚いた。20０人以上の人がいて、会場は満員だった。憲法の資料が渡される。自民党の改憲草案だ。それと、大根、白菜、ネギなども売られている。野菜を作っている人が持ってきて安く売っているようだ。

午後1時30分。主催者の開会挨拶。僕は白井さんから話があったので、てっきり彼が主催者かと思ってたら、違う。元々は弁護士さんたちが相談して作り、白井さんは途中から加わったのだという。「憲法カフェ」の創立からの歴史や現状などについても話してくれる。それから1時間、僕が話をする。僕が最近出した『憲法が危ない！』（祥伝社新書）を読んでくれた人もいたようなので、この本に沿った話をする。僕は学生時代から50年近く、いわゆる右翼運動をやってきた。左翼とは毎日のように殴り合いをし、警察には何度も捕まった。日本を左翼の共産革命から守ろうと思って運動をしてきた。また「憲法改正」を運動の中心としてやってきた。日本がアメリカに占領されている時に、アメリカから押しつけられたのが今の憲法だ。だから、この憲法を改正しなければならない。そう思っていた。「改正」はおかしいという人もいた。このアメリカ製の憲法を認めた上で一部を直そうとする。それはおかしい。エセ憲法を「追認」することになる。それよりも、こんなものは廃棄だ、失効だ、という人もいる。この憲法が失効したら、その下には大日本帝国憲法（明治憲法）が生きている。だから、これを基にして新しい憲法を作るべきだ、という人もいた。「明治憲法復元改正」だ。現憲法の改正とは少々考えが違うが、「憲法を見直す」という点では一致していた。

この憲法を見直す（改正）という点では一致し、大学3年の時は大西邦敏先生のゼミ（比較憲法論）をとった。大西先生は当時珍しいことに憲法改正論者だった。ただ、「押しつけ憲法」反対といったことは言わない。きわめて冷静な先生で、外国のあらゆる憲法と比較して、一院制にすべきか二院制にすべきか、などを考えるのだ。僕は大学院でも大西先生の研究室に行った。それから50年近くが経つが、僕の考えもかなり変わった。護憲派の人たちとも随分と話し合った。憲法第24条を書いたベアテ・シロタ・ゴードンさんとも知り合い、憲法制定時の話を詳しく聞いた。また、ニューヨークで開催された憲法改正のシンポジウムにも出た。ニューヨークで、日本の憲法改正について話したのだ。アメリカの学者、アメリカの市民の前で話し合った。これは貴重な体験になった。

それから、「朝まで生テレビ」などで憲法について議論することが多かった。それまでは、「右翼対憲法」だったが、「自分対憲法」になりつつあった。日本の保守派、右派（＝改憲派）は、憲法を改正し、強力な軍備を持ち、出来るならば核も持つ。徴兵制も考えている。しかし、それで国家は強くなるかもしれないが、それで個人も強くなるわけではない。むしろ個人の自由や人権は制限、抑圧される。それは自民の改憲草案を見ても分かる。…といった話をした。憲法は何よりも権力者を縛るものだ。ところが日本の権力者にはその自覚がない。憲法を自分たちの武器として使い、国民を縛り、自分たちの箍《たが》にはめようとする。「公共」の為には個人の自由も人権も簡単に侵せるようにしようとする。また、不思議なことに、国民の側はこのことにあまり気づかない。気づいていても、国家が強大になるんだから、それ以外のことは認める気なのかもしれない。

憲法カフェでは1時間講演し、それから質疑。活発な質問が出る。それから休憩をはさんで、今度は、「グループでの討論」が始まる。6～7人単位のグループに分かれ、そこで集中的に討論しあう。全体の時は質問できなかった人も、ここでなら質問できるし、話し合える。参加者全員に討論に入ってもらおうとする工夫だ。僕は7分ずつ、各グループに顔を出し、質問に答え、話し合った。忙しいが面白い企画だった。また、この日は岡大介さんという歌手が来ていたので、このコーナーを急遽、作った。

午後6時半、閉会。この後も白井さんや主催者、ボランティアの人は残っていたので、懇親会に変わる。講演会というと、一方的に講演し、それで終わることが多い。でも憲法カフェは違う。講演の後、質問が出る。質問できない人の為に、そして全員の理解を深めるためにグループごとに分かれて話し合う。講師は時間を決めてグループ間を歩く。面白い、と思った。

３月19日(日)　昨夜は閉会後も話し合い、すっかり遅くなって東京に帰る。だからほとんど寝ていない。この日は朝から忙しかった。午前10時半に国会正門前に集合。そこで画期的な集会、デモが行われた。「森友10万人デモ」だ。初めに平野貞夫さん（自由党）が挨拶する。実に具体的だし、戦闘的だ。僕も喋らされた。「森友10万人デモ」で話を出来るなんて光栄だし、緊張する。だから開口一番言ってやった。「全国からこの集会に集まってくれた10万人の皆さん、おはようございます！」と。その瞬間、ドッと笑いが起きた。「10万人なんかいねえぞ！」「１万人もいないぞ！」と野次が飛ぶ。でも「10万人集会」と銘打っているんだから、それに近い人がいるんだろう。当日は、政党、市民運動、労組などそれぞれの関係者も多く参加していた。また、マック赤坂さん、増山麗奈さん、辻ひとみさんなども挨拶していた。今日の主旨は、「森友学園問題をきっかけに安倍政権に退陣要求をする10万人規模のアクション」を起こし、安倍政権を追いつめようという意図のようだ。参議院野党共闘で奮闘した市民団体の連合体としての実行委員会を組成し、衆議院選に向け、０・１％でも、とにかく自民党の支持率を下げることを目的とします、と書かれている。「０・１％でも」というところは何とも謙虚というか、涙ぐましい。今までのビラならば「安倍政権を打倒し」とか書くのだろうが、安倍一強の現実を痛感しての表現なのか、やけに現実的だ。

国有地をタダ同然で払い下げるとか、安倍首相から１００万円の寄付金があったとか、いろんな話が出ている。自民を支持していると言って近づいて来る人は多い。得体の知れない人、変な人も多いだろう。人を見る眼もあるはずなのに何故、ひっかかるのか、批判が多い中で、安倍政権を支持してくれている。そして自分のことよりも国のことを考えている。愛国者だ。そういう印象が大きく作用しているのではないか。一般の人にとっては異様に見える光景だ。小さな子供たちに教育勅語を暗誦させている。また、小さいころから国旗・国歌に親しんでもらおうという。まわりからの非難もあるだろうに断固として実行している。安倍さんたちはそこに感動したのかもしれない。愛国心を公言する籠池《かごいけ》氏を信頼したのかもしれない。保守派の新聞・雑誌でも、「教育勅語、どこが悪い?」と居直った記事があふれている。

確かに個別の文言には、父母に孝、兄弟仲よく、友達も仲よく…と、いい点もある。しかし、一旦緩急あれば義勇公に奉じ…だ。早い話、戦争の時は、バッタ、バッタと死んでくれと言う。それを、小さな子供たちに暗誦させる。正気の沙汰ではない。

今、教育勅語なんて右翼ですら、唱えていない。20年ほど前まではやっていた。右翼の集会に行くと、どこも「教育勅語奉読」をやっていた。国民がほとんど忘れていても、我々は「日本人の代表」として教育勅語を奉読し、国歌「君が代」を歌うのだ、と意気込んでやっていた。でも教育勅語は難しい。読めない漢字もある。あらかじめ読み仮名をふってるのだろうか。それでも、つっかえる。うまく読めない。そんな集会に何度も出くわしたからだろう。野村秋介さんが大きな声で言った。「教育勅語奉読なんかやめてしまえ!」と。俺達は右翼だから、日本人の代表だからという「義務」だけで教育勅語を読むから間違えるし、つっかえる。そんなことに何の意味があるんだと言う。凄い。こんなことを言えるのは野村さんだけだ。他の人たちは、たとえ心の中で思ったとしても、口に出して言えない。これで「教育勅語の奉読」は終わった。今はどこの団体もやらない。キッパリやめた。「10万人デモ」の時は、そのことを思い出して話をした。右翼ですらやらないことを小さな子供に強制している。それが森友学園だ。また、「俺は愛国者」と自慢する人間がやけに多くなった。愛国者であれば、どんな行動でも許されると思っている。「朝鮮人死ね！」とか、とんでもないヘイトデモがやられている。また日本の歴史について、ちょっと批判したり反省したりする人には罵倒の嵐だ。当人だけでなく娘の写真もアップして、「殺せ！」と書く。常軌を逸している。これは完全な犯罪だ。しかし、それをやっている人に犯罪の意識はない。いいことをしていると思っている。愛国心のない国民に対し、注意してるだけだ、日本人として当然のことをしているのだ、と思っている。「愛国無罪」だと思っている。とんでもない話だ。「愛国」は「有罪」だ。大体、「愛国」と言う人に愛はない。俺は愛国者だが、あいつらは非国民だ、やっつけろ！となる。

それに「愛国者」は自己申告だ。本当かどうか分からない。大声で愛国者だと言い、それで人に迷惑をかける人がいる。その反対に、「愛国心はよく分からない」「愛国者ではない」と言いながら、他人には優しく、困ってる人にはお金を貸してやる人もいる。結果的には、この人の方が「愛国者」ではないのか。愛国運動を50年やってきて分かったことだ。考えてみれば当たり前の話だ。常識だ。でも、そんなことが分からなかったのだ。

「10万人デモ」の会場では、いろんな人に声をかけられた。中でも忘れられない人がいる。一人の青年が近づいてきて、「僕は長い間、ネトウヨだったんです。でも鈴木さんの本を読んでネトウヨが治りました！」と言う。驚いた。ネトウヨって治るのか。それも僕の本を読んで。「じゃ僕も少しはいいことをしてるんだ」と思った。

第8回「憲法が危ない！」

『創』17年7月号

今年は日本国憲法施行から70年だ。普通なら祝賀式典をやるとか、記念集会、トークなどがあるところだ。ところが、政府もマスコミも憲法には冷たい。それどころか、安倍首相は「改憲の気運は盛り上がった」とばかりに、5月3日の「憲法記念日」に衝撃的なコメントを発表した。「憲法9条の1項、2項はそのままにして、3項に自衛隊を明記する」と言ったのだ。相反し、矛盾するものを同居させて、自衛隊を認める。何年かして、「やっぱり矛盾する。おかしい」という声が出たら、もう一度改正し、スッキリさせるつもりだろう。9条の2項をとって、「国軍」として認めると。

いわば二段階革命論だ。すると、5月3日の「憲法記念日」もいずれはなくなるだろう。全面的に変えたら、その日が新しい「憲法記念日」になるわけだ。僕らが学生の頃に5月3日といえば、護憲、改憲の集会が沢山あって、人が集まっていた。でも今は、70年も続いたのは恥だ、とばかりに保守派の議員や新聞は言っている。安倍首相は「2020年までに」憲法を改正したいという。「施行73年」でこの憲法にピリオドを打とうとしてるのだ。

TBS『サンデーモーニング』で。5月7日

僕は生長の家の高校生運動と大学生運動をやった。生高連と生学連だ。その間、宗教運動と共に、政治運動もやった。そのメインは憲法改正運動だった。「現憲法は諸悪の根元だ」と言ってきた。50年以上も改憲運動をやってきたことになる。この憲法はアメリカによって押しつけられたもので、アメリカに叩き返せばいい。そう思っていた。ところが今は変わった。「改憲派」から「護憲派」になったようだ。昔の仲間からは「裏切り者！」「変節漢！」と言われる。

今年の3月に『憲法が危ない！』（祥伝社新書）を出したら、それがいろんなところに取り上げられた。「赤旗」「東京新聞」に書評が出てたし、ＴＢＳ、テレ朝などにも出演した。「赤旗」では揶揄《やゆ》されるのかと思ったら、全面的に認めて評価してくれてる。最後はこう結んでいる。〈かつては、犯罪多発も失業増もすべて憲法のせいと憲法に責任転嫁していたという著者ならではの説得力です。「言葉だけの『愛国者』による空疎なナショナリズムの蔓延に警戒せよ」との訴えに同感です〉

本当にありがたいと思った。「東京新聞」夕刊（5月15日）の「大波小波」はタイトルが「鈴木義男と鈴木邦男」。タイトルに名前が出てるので、ビックリした。鈴木義男は日本社会党衆議院議員だった。憲法草案に「戦争放棄」の一項はあったが、「国際平和を誠実に希求し」という積極的文言はなかった。それを加えたのが鈴木義男だという。そんな偉い人と並んで紹介されている。

〈ＴＢＳサンデーモーニング（5月7日放映）は民族主義団体「一水会」元最高顧問・鈴木邦男氏の声を紹介した。彼は学生時代から現憲法が悪の元凶だと信じてきたが、疑念を持つようになった。「憲法の原案を作る時の理想や夢を聞いて、考えが変わりました。今、我々が憲法を変える時、彼らほどの理想や夢があるか。僕はないと思う。ただ過去へ戻るだけだ」〉。

鈴木義男と鈴木邦男、二人の言葉と決意が、心を打つ。中道が徐々に右にスライドする一方、左右両極の鈴木氏が手をたずさえて、原点へ立ち返れ、と訴える。〉

これは感動的なコラムだった。驚いた。しかし、たった一冊の本で、これだけ取り上げられ波紋を投げかけたのだ。『憲法が危ない！』が発売されたのは今年の3月10日だ。2カ月しない間に、いろんなところにとりあげられた。安倍首相が改憲発言をしたりして、タイムリーだったこともある。それに、元から「護憲運動」をやり「改憲」に反対してきた人ではなく、長年改憲運動をしていた人間が「改憲は危ない！」と言い出したので、それが目新しいと思われたのかもしれない。実は、この祥伝社新書のタイトルは初め『憲法改正を急ぐな』だった。あくまでも改憲派が、でも憲法改正の過激さにはちょっと待てよ、と思っている。そういう感じのする本だった。しかし、時代と言うか安倍政権の動きが急だ。「急ぐな」と穏やかに言ってる場合ではないだろう。祥伝社の人も、これは「改憲なんかする必要はない！」「憲法を守れ！」と叫んでる本だと言う。それで急遽、『憲法が危ない！』になったのだ。それと共に本の帯の文句がいい。それで売れたのだと思う。

〈改憲運動に半生を捧げた理論派右翼は、なぜ今、異議を申し立てるのか？〉

そして僕が最近よく言ってる言葉が書かれている。〈「自由のない自主憲法より自由のある押しつけ憲法のほうがまだいい」〉

これが本の帯の表に書かれている。帯の裏にはこう書かれている。

〈熱心な改憲派の私が、なぜ、疑問を持つようになったのか。なぜ、今の「憲法改正」に危うさを感じるのか。これは実際に、「憲法改正」運動を命がけでやってきたから分かったことだ。一人ひとりの人間がいて、その人々が自由に、平和に暮らせるように憲法があるのだ。その点が忘れられ、「強い国家」「強い憲法」ばかりが望まれているような気がする。その嵐はさらに大きくなっている〉

昔、集団で「憲法改正」運動をやっていた時は、こういう疑問は感じなかった。それこそ命がけでやっていたし、この憲法が変わったら日本はよくなると信じていた。集団の中に埋没し、陶酔していた。いい憲法をつくり、それを国民に与えたらいいと思っていた。今から考えると傲慢《ごうまん》な話だ。「人間がいて、その人間のために憲法があるのだ」と気がついたのは、かなり後になってだ。

また、この憲法の24条を書いたベアテ・シロタ・ゴードンさんと会って話を聞いたからでもある。占領軍が日本の憲法を作ってそれを押しつけたのは事実だ。でも、占領軍の多くの人は母国アメリカでも認められなかった最先端の〝人間の権利〟、特に女性の権利を書いたという。ベアテさんは子供の時、日本に住んでいて、日本の女性がいかに自由がなく、抑圧されていたかを見聞きした。これは根本的に変えなくてはならないと決心した。必死に勉強し、この憲法試案を作った。それを基にしながら国会で連日、議論し、作り上げた。「戦争放棄」の項に、「国際平和を誠実に希求し」という文を入れた日本社会党の鈴木義男のような人もいた。また、ついこの間まで日本公文書館でやっていた特別展「誕生！日本国憲法」を見てきたら、国会で、いかに真剣に論議されたかがよく分かった。70年前だが、全く別の国の議会のようだった。

この特別展では当時の国会の議論の様子が写し出され、ついつい見とれてしまった。憲法担当の国務大臣として実に１３００回も国会の答弁にあたったのは金森徳次郎で、彼の果たした役割も紹介されていた。憲法の「産婆役」にとどまらず、憲法を「国民の憲法」たらしめようとした金森の姿勢は今日においても取り上げる価値があるのではないでしょうか、と書かれていた。すごい人がいたもんだと思った。金森はかつて天皇機関説事件で政府の要職を追われた。しかし、憲法改正を審議する議会では、彼に頼るしかなかった。かつて金森を「国賊！」「非国民！」と罵倒した議員と国民は猛反省すべきだ。議会では、「国体の変革」と主権の所在をめぐる微妙な質問に対し、これには「水は流れても川は流れない」と答えて議会を乗り切ったという。「川は流れる」と普通には言うが、川は流れているのではない。水が流れているだけだ。川はそこに確固としてある。天皇から国民に主権の所在は変わっても、日本そのものは変わらない、ということなんだろう。

アメリカから押しつけられた憲法を唯々諾々《いいだくだく》として受け容れたのではない。議員一人ひとりの気概を感じた。70年前の憲法施行に際しては花電車が走り、「憲法音頭」が作られた。また、この憲法の普及会によって紙芝居が作られて、子供に見せていたという。これは面白そうだ。見てみたかった。ベアテさんもその時の祝賀ムードを感じていたのだろう。「新しい世の中になった」という喜びだ。

ベアテさんには何度も会い、ニューヨークでやった憲法のシンポジウムにも呼ばれた。その時、「日本の国民は24条に喜んで歌を作ってくれた」と言っていた。10年ほど前だ。70年前の憲法施行の時なら分かるが、今じゃそんなことはないだろうと思っていた。「いや、最近聞いたので、その歌を探してほしい」と言う。でも護憲派の人たちと話してもなかったのだ。その頃は、まだ「敵」だと思っていたし、その僕が探して分かるわけはない。しかし何人かに聞いて、一人だけ「ああ知ってる。私も歌いました」という人がいて、見つけ出した。そしてベアテさんに渡した。反戦歌とか、左翼的な歌でなく、コミカルな歌だった。「24条知ってるかい」という歌だ。守屋浩が歌っていた。好きな女の子ができたけど、両親は不満らしい。どうしよう。でも憲法では当人同士さえ合意したら結婚できる。親の承諾なんか必要ないのだ。そのことを歌っている。だから、お父さん、お母さん。憲法24条を知らないの?と親に(少々)説教するような歌だった。コミカルな歌で申しわけありませんと、謝って、ベアテさんに渡した。でもベアテさんは大喜びだった。そして憲法について僕と対談をして本を作ろうという話になった。喜んで準備していたが亡くなってしまった。何とも残念だった。もっともっと話を聞いておけばよかったと後悔している。

ベアテさんと会った時は、まだ僕は改憲派だった。ただ、24条はこのまま残すべきだと思った。ベアテさんの熱い思いと理想を知ったからだ。でも今、不思議なことに、この24条は変えられようとしている。憲法９条の３項に自衛隊を明記したら、次はこの24条に手を付けるだろう。日本は立派な家庭があって初めて国家が成り立っている。そう思っている。その家庭が今、崩壊しようとしている。もっと強く、信頼し合える家庭を作る。夫婦別姓などはとんでもない。親の承諾は得なくとも結婚してよいなんておかしい。こんな個人主義が横行するから家庭は壊れるのだ。そんな理屈で、改憲派の中には「参政権は一家に一票でいい。父親が代表して行使すればいい」と言う人もいる。

また、こういうことが日本の文化であり伝統だと思う人がいる。家庭がしっかりしていて、それでこそ強い国家を作れる、と思っている人が多いのだ。今の改憲のムードは、政府が無理やりに進めようとしているのではない。弱い人民が、強い家庭、強い国家を求めている。それができたら、自分も強くなれると思っている。これは誤解だし幻想だが、国民のそんな思いを政治はすくい取っている。そして改憲ムードは作られている。そんな気がしてならない。問題は国民の側の意識なのだ。

第9回
麻布高校で講演した

『創』17年8月号

加藤登紀子さんと。6月11日

6月11日（日） 加藤登紀子さんのコンサートに行った。「人生の始まりと終わり。ひばりとピアフ」と題し、3時間、歌い続ける。感動的だった。終わって挨拶をした。加藤さんの旦那だった藤本敏夫さんには特にお世話になったので、どうしても藤本さんの話になる。藤本さんは全学連の委員長で、佐世保闘争などを指導した。学生時代は「敵」だったが、卒業してから会うことがあった。自然農法で野菜を作っているし、もう左翼的でもなかった。一緒に勉強会に出たりして、いろいろな話を聞いた。残念ながら亡くなられたが、昔、藤本さんと学生運動をした人や、野菜作りをした人たちが加藤さんのコンサートにも結構来ていた。「お前、うちの大学に殴り込みに来ただろう」などと言う人もいる。「昔は暴力学生だったものですみません」と謝った。

作家の佐藤剛さんに会ったら、「今度、美輪明宏さんの本を書きました。出来たら送ります」と言う。そして今日、届いた。『美輪明宏と「ヨイトマケの唄」』（文藝春秋）という本だ。サブタイトルには、「天才たちはいかにして出会ったのか」。これがいい。本の帯にはこう書かれている。〈三島由紀

夫、中村八大、寺山修司、時代を彩った多くの才能との邂逅《かいこう》、時代の表現者となった優美な怪物、美輪明宏の歌と音楽に迫る〉

そうか。歴史に残る天才たちによって美輪さんは作られたのか。その中でも、とりわけ三島だろう。今年の春は美輪さんの歌と芝居を2回見た。楽屋で会ったら三島の話ばかりしている。それに「楯の会」の話だ。そして、「福田さんは元気ですか？」と言う。「長野で穂高養生園をやってるようです」と答えてから、どうして福田俊作氏のことを知ってるんだろうと思った。「三島さんと一緒に家に遊びに来てくれたのよ」と言う。もう40年以上も前のことなのに懐かしそうに話す。「来週、彼の所へ行くのでよろしく伝えておきます」と言った。

前から約束していたので5月27日に長野の福田氏を訪ねた。病気の老人を相手に整体治療をやっているのかと思ったら違う。むしろ若い人が多い。都会生活の中で心を病んでいる人が来る。食餌療法《しょくじ》や体操、山歩き、ヨガなどで体を治している。壮大な施設だ。１００人以上が宿泊でき、スタッフだけで30人以上いる。彼は「楯の会」一期生だったが、三島事件以降、外国に出、世界を回った。日本に戻ってからは食餌療法、整体などを学び、30年前から長野で穂高養生園をやっている。「あの時は本当に世話になって…」と礼を言った。「あの時」というのは三島事件のちょっと前だ。福田氏は阿部勉氏と一緒に高田馬場にアパートを借りて住んでいた。二人とも「楯の会」だし、早大だ。だから学生がよく集まっていた。「楯の会」のたまり場だった。実はそこに僕も転がり込んで居候《いそうろう》をしたのだ。

69年に僕はそれまでやっていた学生運動から追い出された。東京で運動は出来ず、郷里の仙台で本屋の店員をしていた。でも縁があって産経新聞に入れてもらった。４月からまた、東京生活だ。まずアパートを探さなくてはと思い、都内を歩いていた。そこでバッタリと阿部勉氏に会ったのだ。事情を話したら、「住むとこが見つかるまでウチのアパートにいて下さい」と言う。その日からお世話になった。毎日、学生が来るし、議論し、酒を飲む。居心地がよかった。半年以上もいた。しかし11月25日に三島事件が起こる。学生たちも殺気だちマスコミや警察も毎日来る。こりゃ、いられないなと思い、急遽、アパートを探して落合に移った。

三島事件の後、楯の会は解散した。運動を離れる人が多かった。でも阿部氏は昔の運動仲間を訪ねて歩き、再度引き合わせたり、「今やれることをやろう」と提案していた。「三島さん、森田さんに申し訳ないな」と言っていた。その時、下北沢に住んでいたが、そこのアパートを事務所がわりにして、「マスコミ研究会」を立ち上げた。産経新聞、国民新聞、やまと新聞、内外タイムスなど、マスコミやミニコミに勤めている人が多かった。少しでも自分たちの仕事に役立つ勉強会をやろうとしたのだ。

それが数カ月後には一水会となった。阿部氏がいたから一水会は結成出来たのだ。そのうち、三島事件で亡くなった三島由紀夫、森田必勝両氏の追悼祭をやろうとなり、野分祭をやり始めた。そして一水会をつくり、機関誌「レコンキスタ」を発刊する。その頃から〈運動〉らしくなってきた。三島事件は70年の11月。一水会が出来たのは72年。この年は連合赤軍の年でもある。74年には東アジア反日武装戦線による連続企業爆破事件があり、やまと新聞に単発で何度か、その記事を書いた。翌75年に産経新聞を辞め、それをきっかけに、やまと新聞に書いた記事をまとめ、さらに加筆して、『腹腹時計と〈狼〉』(三一新書)を書いた。生まれて初めての本だ。その頃から「新右翼」と呼ばれ出した。

一水会は初め、7人ほどの世話人から出発した。阿部氏が全部やってくれたが、僕の方が年長だからといって一水会代表にさせられた。99年まで代表をやった。この後、木村三浩氏に代表を譲った。

急いで一水会の歴史を紹介してしまったが、ここで、６月11日の「加藤登紀子コンサート」に戻る。60年安保、70年安保を闘った人たちが多い。ＮＨＫの人が一人の青年を紹介してくれた。長崎の原爆のドラマをやり、そこで主演をやった役者だという。小木戸利光さんだ。「鈴木さんには前から会いたいと思ってたんです」と言う。若松孝二監督の「実録・連合赤軍」に出たという。加藤三兄弟のまん中、倫教氏の役をやったという。最近は瀬々監督の「菊とギロチン」に出て、大杉栄の役をやったという。これは楽しみだ。早く観たい。

あっ、大事なことを忘れていた。加藤さんのコンサートの前の日、６月10日は、高円寺のパンディットで「元・楯の会阿部勉氏を語る会」があったのだ。僕が企画したわけではない。阿部氏を知らない若い世代だ。だからこそ、なおさら有難いと思った。阿部氏については山平重樹氏が評伝を書いている。『最後の浪人・阿部勉伝』だ。とてもいい本だ。それを読んだ滝澤、高木という二人の女性が、すっかり阿部氏を気に入って、「一緒に運動をしてた人からぜひ阿部さんの話を聞きたい」と企画したのだ。僕も相談されたので大賛成だった。全てはこの二人の女性がやってくれた。高円寺のパンディットを借り、元「楯の会」の人達に連絡をし、その他、運動で阿部氏と会っていた人に連絡した。さらに、阿部氏が出演した映画が一本あるが、それを見つけ出して上映した。足立正生監督や宮台真司さんなども話を聞きつけて来てくれた。映画評論家の小川晋さんもいるし、阿部氏と共演した女優の日野繭子さんも来てくれた。当時の貴重な話も聞くことが出来、とても嬉しかった。元「楯の会」の伊藤邦典、本多清氏も来てくれ、当時の話をしてくれた。夜おそくまで話し合った。

6月13日(火)　午後6時、グランドプリンスホテル新高輪での「ＪＲ東労組結成30周年記念レセプション」に出る。多分、都内でも一番大きいホールだろう。そこに１５００名が集まった。外国の運輸関係の労働者も来る。駐日ポーランド大使、「連帯」の代表もくる。政治家も大勢来ていた。僕は途中で中座した。高田馬場で一水会フォーラムをやっているからだ。ゲストが凄い。駐日シリア大使のワリフ・ハラビさんという女性だ。「真のシリア情勢を語る」。大勢の人たちが聞きに来ていた。

6月17日(土)　この日は僕にとっては記念すべき日だ。だって、麻布高校に呼ばれて生徒に話をしたのだ。午前10時から正午まで。「授業」だ。麻布高校はとても優秀な高校だと聞いていた。在校生と浪人生を合わせて毎年、東大に１００人以上入るという。凄い。制服はないし、規則は一切ないという。これも凄い。「校則のない学校」なんて他にないだろう。それに昔、高校紛争があったらしい。あっ、本で読んだことがある。それで生徒側の要求を全面的にのんだようだ。

　高校では普通の授業の他に、時々、テーマを決めて外部講師を呼んで特別授業をやっている。今年は憲法だ。東大の先生や、弁護士、裁判官などが授業をする。その中に僕だけ一人、変なのが入っている。麻布高校の何人かの先生が、僕の本も読んでくれて、特別に呼んでくれたのだ。ありがたい。「長年、憲法改正運動をやってきて、今、改憲は危険だと思った。そのことについて話してもらいたい」という。僕の本『憲法が危ない』を中心にして話をした。高校時代の話から始めて右派学生運動。そして改憲運動をやってた頃の話をした。そのあと、ベアテさんと会い、そして「改憲」に疑問を持つようになったことなどを話した。１時間講演し、10分休憩。その後、また講演を少しして、あとは質疑応答。僕の方がとても勉強になった。

第2章

政治活動の覚悟

青木理さんとトーク「私たちはどこへ向かうのか」。2017年11月18日

第10回
共謀罪と公安

『創』17年9月号

7月11日、新宿西口。共謀罪反対で演説

7月7日（金） 午後1時、駐日シリア大使館を表敬訪問。一水会の若者たちと総勢20人ほどで行く。先月、一水会フォーラムで大使に講演してもらった。そのお礼を兼ね、さらにシリアのことをもっと知りたいと思い訪問したのだ。アメリカ側の情報ばかりが氾濫しているが、シリアの歴史や生の声を聞くことが出来、勉強になった。

3時半解散。その後、僕だけ国会前に行く。脱原発の集会だ。「右から考える脱原発デモ」なども行われているし、「原発反対」には右も左もない。尖閣や竹島は大事だ。日本固有の領土だ。と同時に、東北も大事だ。そこが汚され、住めないようにされている。さらに、「東北でよかった。東京でなくてよかった」などと言う政治家がいる。また国会前に集まるデモの人を見て、「テロリストだ」と暴言を吐いた議員もいた。こんなことは、中学生でも言わないだろう。他にも中学生以下の行動、暴言も多い。

日本は戦争中、広島、長崎に原爆を落とされたのに、戦後、原発を受け入れた。人を殺す原爆と国民生活を支えるエネルギーの原発は別物だという理屈だ。でも自民党が考える憲法改正では、「核を持て」という主張もある。中国、韓国になめられないように強力な国防軍を持つ。徴兵制がいいが、出来ない時は、核を持つべきだという主張だ。その方が経済的だし、他国も手を出せないという。でも経済性や国威発揚のために核を持つのでは歴史の逆行だ。改憲の動きそのものが退歩であり、歴史の逆行だ。

この日は夜7時半から一水会フォーラム。毎日新聞の鈴木琢磨さんが講師で、テーマは「最新の朝鮮半島情勢」。独自の情報を持っているし、詳しい。教えられることが多かった。

7月9日（日） 長野県に行く。皆神山、象山神社、松代の地下大本営を見る。大本営は2回目だ。戦争の末期、松代に大地下壕を掘った。そこに皇居、国会、NHKなどを入れ、ここを拠点としてゲリラ戦をするつもりだった。天皇陛下は反対されたという。ゲリラ戦など闘える状態ではなかった。夢物語というか、悪夢だ。妄想だ。こんなこと、中学生でも分かることではないか。批判し、反対する人がいなくて「同じ考え」の人だけが集まると、そんな暴走が起こるのだろう。今の自民党も似ているのかもしれない。

7月11日（火） 共謀罪法案が今日から施行される。国会前を始め、全国で抗議の集会が行われた。僕にも声がかかり、新宿西口の集会に行く。小田急前は共謀罪に反対する人でビッシリだった。プラカード、横断幕、そしてDVDで安倍政権の動きが紹介されている。演説する人が多いので、予め届け出て、時間も厳しく決められている。僕の前は元自衛官の井筒さん。僕は7時10分から30分、その後は山本太郎さんだった。ビデオなどを使いながら説明する。他の人たちの演説も分かりやすいし迫力がある。駅頭なのだが、室内で講習会をやってるような感じがする。

僕は共謀罪の危険性と憲法改正の危険性について話をした。この二つに反対するのは皆、左翼だと思われている。しかし、違う。右翼の中でも反対してる人は多い。「自分は左右の運動に参加してないし、だから大丈夫だ」と言う人がいるが、その人も危ない。国民全体を狙っている法律だ。この日の夜、内田樹さんがテレビに出て、こんなことを言っていた。これは政府が一方的に国民を監視し弾圧するものではない。国民を分断し、国民が国民を監視し告発し合うようにするものだ。「内田は非国民だ！」と国民の中から声が起き、内田をやっつけろ！と押しよせてくる。恐ろしい時代になった。ウーン、そこまで行くのかな。でも内田さんは思想家である前に武道家だ。家には合気道場をつくり、若者を教えている。「非国民だ！」と言って訳の分からない群衆が押しかけてきたら、いい機会だ。ちぎっては投げと、投げすてたらいい。…と、無責任な野次を飛ばしてしまった。

ただ、一方的な弾圧という姿は見せない。これが安倍政権の巧妙なところだ。治安が悪い、世の中には危険な人たちがいる。そういう「国民の不安」を拭ってあげるんですよ。皆さんの心配をなくしてあげるんですよ、という感じだ。決して恐怖政治でも独裁でもありません、と言う。安倍さんは顔で得をしている。石破、麻生だったら、また違っただろう。だからこそ日本会議や保守派の人たちも安倍政権のうちに出来ることは何でもやろうとしている。外から壁をつくり、人々の間を分断し、対立させ、不安、不満の心をあぶり出し、それを処罰しようとする。

共謀罪では2人以上が集まり、政府批判をしたり、反対行動について相談したら、それだけで捕まるという。さらに、「良心にかられて」その場から脱走し、密告したら「司法取り引き」で減刑されるか無罪になる。反政権、反体制運動をする人達も大変だ。これからは常に「スパイも一緒」と思ってやるしかない。普通の活動家がいつスパイになり、司法取引をするかも分からない。疑心暗鬼だ。45年前の連合赤軍事件を再び起こせ！と煽動しているようなものだ。

そんな馬鹿な、と思うかもしれないが、公安警察は常に左右両翼の暴走を期待している。いや、暴発の芽を育て、暴発を助長している。世の治安を守るといいながら、世の中が平和では困るのだ。「では公安はもういらないだろう」と言われる。殺人犯や泥棒が捕まらなくても日本はビクともしない。だが右翼や左翼を放っておいたら日本は滅びる。それを防いでいるのが我々公安だ、と信じている。日本で最高の愛国者だと思っているのだ。

だから、あらゆる所で政治的意図が働く。街宣やデモでも、どれを取り締まり、どれを野放しにするかは、公安警察の裁量次第だ。ネトウヨが街宣をしている。抗議してきた老人を皆で殴っている。明らかに犯罪だ。しかしそれをネットで流している。犯罪ビデオなのに捕まらない。警察にしたら、この程度で捕まえるよりも、自由にやらせて、左翼をおびき寄せ、そこで捕まえる。そう考える。ネトウヨにしたら自分たちは愛国心でやってるのだから捕まらないのだ、と思う。そういう確信を持たせるように公安は策動する。

ただ、「相談しただけで捕まえる」なんてことを本当にやるだろうかと僕は疑問に思っている。警察のことを知らない人は、「あらゆる手を使って政府は弾圧するのだ」と言うだろうが、警察、特に公安警察のことをよく知る身としては、これには疑問だ。行動、事件を起こそうと相談したら、それだけで捕まえるというが、そんな勿体ないことはしない。「相談」を知っても、知らぬふりで、運動をやらせる。どこかを襲撃する、立てこもる。そんなことだろうが、それをやらせる。もし密告者が出ても、それは無視する。邪魔をさせないで、やらせる。その方が効果が大きいからだ。こんな危ないことをやっているのだから、もっと公安の予算と人員を、と要求できる。

かつて50年近く、右翼の運動をやってきた。公安の動きはかなり分かったつもりだ。『公安警察の手口』(ちくま新書)、それに『腹腹時計と〈狼〉』(三一新書)という本も出した。でも今考えると、これでは不十分だったと思う。

僕はアナーキストではないから、治安を守る警察は必要だと思っている。殺人犯や泥棒を捕まえる刑事警察は必要だ。交通警察も必要だ。これがなくなったら大変だ。でも公安警察は必要ないと思っている。彼らが今だかつて犯罪を防いだことなど一度もない。むしろ公安警察があるが為に起きた事件が多い。そのことに気がついたのだ。

右翼の街宣車が何台もパレードする。赤信号でも突っ走る。「こちらは愛国団体のパレードです。一般車輌は止まりなさい」と言って、青の車を止めている。交番のお巡りさんが飛び出して文句を言う。後ろから来た公安が巡査を怒鳴りつける。「このパレードは俺たちが守っている。文句を言うな!」と。それを見て右翼は思う。「我々は愛国運動をしてるから何でも出来るんだ」と。「愛国無罪」だと思う。

街宣車だけでなく、一般車輌でも右翼の車はフリーパスだ。駐車違反、スピード違反で切符を切られても公安に連絡するとチャラになる。未成年の女子との淫行で逮捕状が出てたのに、チャラにしてもらった人もいる。「右翼になったら何でも出来る」と思い、右翼になった人もいる。また、その話を聞いて一般の人が頼みに来ることもある。「スピード違反で切符を切られた。右翼ならチャラに出来るのだろう。頼むよ」と。僕は断った。公安のイヌにはなりたくない。共謀罪は、こういう関係をさらに深める。

僕らが運動していた時は、公安は右翼団体を回ってこう言っていた。「我々も同じ気持ちです。革命が起きたらピストルを持って立ち上がりますよ」と。だから「同志」だと思い、自分たちの活動は全てオープンにし、会議にまで参加させている。「あとで報告しなくていいから」と言うのだ。さらに公安は右翼に対し、「彼らはおかしい。抗議したらどうですか」と具体的な行動目標を示唆する。野党の党首が、いつどこで講演するか分からないのに、何十台も街宣車が集まる。すべて公安が教えているのだ。「一水会は右翼のツラよごしだ！」と右翼団体が何十台も街宣車を連れて抗議に来ることがあるが、その時も警察の車が道案内をしていた。さらに、クスリや不祥事で逮捕状が出ている右翼には、「そんなことで捕まったら恥ずかしいでしょう、日教組か共産党に突っ込みませんか」と教えてくれる。そうしたら「愛国者」でいられる。また、襲撃目標を教えて、あるいは襲撃を知りながらあえて無視して、やらせることも多い。僕も見てきたし、接触もしている。「日教組に突っ込みませんか」と誘われたこともある。事件を防ぐのが任務のはずなのに、事件を作っているのだ。それも量産している。

これは左翼にもやってるのだろう。スパイを投入したり、あるいは、電話などで情報を入れて。内ゲバが激しかった頃、組織のトップの居場所を知らせて襲撃させたりしてたのだろう。敵対党派のヘルメットを被って公安が内ゲバ殺人に参加していた、ということはないだろうが、居場所を知らせたり、あるいは襲撃事件を最大限に利用しようとして、事件を大きくしたことが大いにあったようだ。

また、公安は「失敗」しても責任をとらない。それどころか、出世している。こんな事件があった、こんな危ない連中がいる、だから公安は必要だ、と国民に思わせた。その貢献があったというわけか。

第11回

冤罪防止のために

『創』17年10月号

林眞須美邸の跡地で、飛松五男さんと

学生の時は全国を駆け回った。右派の学生運動をやっていたので大学のある所は全て行こうと思った。全部は無理だったが、かなり回った。右派学生運動の起点になった長崎大学には随分と行った。そこで学生運動をやった人達が、後に日本会議を作る中心メンバーになる。北海道から沖縄まで、大学のある所はどこでも行った。

それだけ全国を回りながら、いわゆる観光地や名所などは全く行ってない。当時見逃した名所旧跡を今になって訪ねている。去年、長崎の軍艦島に行ってきた。出島も見た。平和公園も初めて行った。行って驚いたが、長崎大学はすぐ傍だった。長崎大学は何十回と来てたのに、こんな近くの平和公園には行ってなかったのだ。学生運動だけが全て、それに関係のない所は目に入らなかったからだ。「全国の大学は全て回ろう」と当時は、目標というか、ノルマを決めていた。今、地方に行く時も、それに替わる目標・ノルマを決めている。聖地といわれる所を全部回ろう。大きな事件のあった所を自分の眼で見てやろう。そして目標はグッと低くなるが、「日本のタワーを全て登る」「ロープウェイに全て乗る」「水族館を全て見る」。これらは自分の趣味だ。記録に残して書き留めるものでもない。ただ、聖地巡礼は、多くの人が実行している。普段はちょっと簡単には行けないような難所にあるし、行くと魂が清められるような気になるからだ。和歌山県の熊野に行った時だ。有名な那智の滝だ。感極まって、両手を挙げたまま固まっている人。座り込み、念仏をとなえる人。そんな人たちが大勢いた。熊野古道も感動的だった。さらに断崖絶壁の上にある神社に行く。まるで這うようにして登った。体の中まで変わる感じがした。まさしく「聖地」だった。

それと、それまでに何でもなかったのに〈事件〉があって急に有名になった所がある。実際に捕まった人が真犯人だったのか、あるいは冤罪だったのか。それらを含めて、「犯罪の〈聖地〉」ふうに思われている。実際行ってみないと分からないこともある。それで数年前から行っている。名張毒ブドウ酒事件の名張。カレー事件の和歌山市。連合赤軍事件のあさま山荘などを見た。名張や和歌山は冤罪と言われているが、街を歩き回って感じたこともある。また、これからは自民一強の中で、どんどん法律をつくり、国民の自由や人権は抑圧される。憲法改正もされるだろう。それに対し、国民一人ひとりがどうやって身を守るか。それも考える必要がある。元兵庫県警刑事の飛松五男さんなども入れて、研究会を作って考えている。岡山県の津山、山口県の光市なども行ってみようと思っている。

名張などは、街全体が、あの事件に触れてほしくない、と思っているようだった。事件のあった場所を訪ねても、それを感じた。駅に降りた時に、大きな銅像があったので驚いた。まさか事件のかかわりではと思ったら、推理作家の江戸川乱歩の銅像だった。

乱歩はここで生まれている。長くここ名張で生活していた。住居跡もあった。その後、乱歩は東京に住む。そして毒ブドウ酒事件が起きる。しかし事件のことは一切書いてない。不思議だ。自分の故郷であり、人間関係もあり、とても触れたくなかったのか。どう書いたとしても故郷の人々から反発を買う。そう思ったのかもしれない。

でも、岡山の津山30人殺しは、横溝正史が『八つ墓村』で書いている。横溝の故郷であり、たとえフィクションでも、津山だということは分かる。でも作家としての本能の方が先行した。地元の人たちからはかなりの反発を買ったと思うが、横溝は書いている。勇気がある。蛮勇といっていい。山梨県には横溝正史館があり、2カ月前に行ってきた。横溝が実際に住んでいた家をそのまま記念館にしたものだった。決して大きな家ではないが、小説、映画などになった資料が沢山あった。会館は地元のボランティアの人達によって運営されている。その人たちから、横溝の「勇気」や「作家の本能」などについて話を聞いた。

推理作家としては横溝は日本一だと思っている。乱歩や他の作家をもグンと抜いている。世界的な作家だ。比べるならば、アガサ・クリスティくらいだと思っている。横溝の作品は大体全部読んでいるつもりだ。推理小説としての構成がしっかりしているし、舞台設定が奇抜で面白い。推理小説を書くうえでの覚悟が違うと思う。

今、これだけ法律でがんじがらめになった世の中で、国民の自由や権利が抑圧された時代。横溝ならば、どんな作品を書いたのか。どうやって世の中に問おうとしたのか。そんなことも考えてみた。

名張ではタクシーに乗って街を回った。事件現場となった公民館などを見て回った。時々、取材で来る人もいるのだろう。ちょっと迷惑そうな顔をされた。「宗教関係の人ですか」と聞かれたこともある。若い女性が何人かいたし、僕などは千石イエスのように思われたのかもしれない。事件のことさえなければ、美しい田舎町なのにと思った。

これは和歌山市に行った時も感じた。カレー事件の現場だ。僕は10年ほど前に2回ほど来ている。しかし、その時は集会などに出て、あわただしく帰った。だからゆっくりと街を見学していない。今回は、その現場をじっくりと見てみたいと思った。和歌山では、この事件は冤罪だと訴える人々が定期的に街宣をやったり、チラシ配りをしている。その人たちが中心になって、現地見学会を行ってくれた。この機会だから僕らも合流した。元刑事の飛松五男さんにも連絡し、解説してもらうことにした。東京からは5人ほどが参加した。今まで分からなかったことも、現地を見て、分かったことがあった。

朝早く起きて大阪経由で和歌山に行く。地元の人が案内してくれた。全国各地から来た人々で、15人ほどになった。ここも美しい町だ。

きれいな川があり、その傍にしゃれた家が並んでいる。でも一区画だけ、家はなくて、草がボウボウはえている。「ここですよ」と現地の人が言う。ここに林眞須美さんの家があったが、眞須美さんが逮捕されて家が無人になり、何者かに放火され全焼したのだ。そして、放火の後、空き地になってしまった。しばらく、そこにいて、事件のことを考えた。現地の人や飛松さんがいろいろと解説をしてくれた。

ここから公園に行って、そこでカレーを作り、それで事件が起きたのだ。じゃ公園はどこなんだろう。そしたら、すぐ近くの住宅を指さして「ここです」と地元の人がいう。今は家が建っていて、もう面影はない。すぐ近くで、狭い空間だが、シーソーがポツンと打ち捨てられていた。それだけが、かつて公園だったことの名残りを留めている。

公園は、いわばすぐ隣りのような所だ。またカレーを作ったのも、このそばだ。持ち回りで、住宅の玄関先で作ったという。林さんのすぐ近くの玄関でカレーを作り、それをすぐ隣の公園に運んだという。このカレーを作っていたのは、眞須美さんだったと、それを目撃したという人がいる。向かいの女性で、二階から目撃したという。しかし、その家の前には大きな木がある。向かいの家はよく見えない。

「そうか、ここが目撃した人の家か」「この木があるし、よく見えないよね」と皆で話し合い、ガヤガヤと歩く。普段は静かな住宅街だ。突如、15人ほどの人が歩き回り、話をする。写真も撮っている。住民にしたら、「不審者が来た!」と思ったのかもしれない。特に目撃者の家ではそれを感じたのだろう。誰かが110番をした。我々がゆっくりと歩いていた所に、突如パトカーが着く。警察官が2人駆けてきた。

だから僕が応対した。「カレー事件の裁判をやっている者です。現場を見に来たのです。不審者ではありません」と説明した。そして、「この人が元兵庫県警の刑事で飛松五男さんです」と紹介したら、突然、2人の警察官の態度が変わって「あっ、先輩ですか」と姿勢を正し敬礼した。「失礼しました。いつもテレビで見ています」。それまでは僕らは「不審者」だったのだ。この変わり身の早さだ。飛松さんが言う。「君らも大変だね。110番通報があると、行ってみなくっちゃいけないし」と、同情して話す。警察官も大いに恐縮して、すぐに帰っていった。元刑事の力はすごい。よくテレビに出ているし、存在感が違う。

それから、地元の人のやっている居酒屋に行って反省会。マスコミの人も来ていたし、地元の人、東京から来た人なども含めて皆で話し合う。これから、この裁判をどう闘っていくか。また、これからは我々の誰でもが捕まる危険性がある。その時、どうしたらいいのか。考えるべきだ、と話をした。これは僕自身がいつも考えていることだ。警察では、常日頃、地元の怪しい人間を徹底的に調べている。事件があったら、すぐに「こいつだろう」「こいつが怪しい」とピックアップするし、それをマスコミに渡す。こんな悪い奴だ。こいつに違いないと書き立てる。冤罪はいつでも起きる。また、そこから逃れるのは難しい。そんな社会に僕らは生きている。いつでも、どこでも監視カメラに見られている。昔のように軽い気持ちで運動は出来ない。デモ、ビラ貼りでも引っかけられる。反政府的な行動は、やりにくくなるし、やる人はいなくなる。それでは人民の自由な活動も出来なくなる。

「そうしたら、飛松さんのような優秀な元刑事さんと友達になるしかありませんね」と言う人がいた。

「さっき、パトカーが来た時だって、飛松さんがいたんで助かったと思います」と言う。そうだね。でも飛松さん一人じゃ足りない。こういう人が全国に現われて、「楯」になってくれたらいい。元警察官の人たちも、人々を不当な逮捕から守るために行動を起こしてもらいたい。「犯罪のない社会」と同時に、「冤罪を生まない社会」。それを真剣に考えるべきだと思った。

第12回 元検事、元公調と会う

『創』17年11月号

左から筆者、西道弘さん、上祐史浩さん

9月5日(火) 午後7時から新宿のロフトプラスワンに行く。上祐史浩さん(「ひかりの輪」代表)と西道弘さん(元公安調査庁)と僕の3人でトーク。元オウム真理教の幹部だった上祐さんとは久しぶりの対談だ。オウムの犯罪・失敗について上祐さんは一番真摯《しんし》に発言してくれる。オウムの村井秀夫幹部を刺殺した徐裕行さんが出所して事件について話した時。これもロフトだった。そこで上祐さんと徐さんの2人は会った。そしてもう一度会って刺殺事件の話を聞いて、それを本にした。『終わらないオウム』(鹿砦社)だ。よくもそんな対談が出来たものだと思った。村井氏を刺殺した徐さんはこう言っていた。「あの時、本当に殺そうとしたのは上祐さんだった」。村井さんが来たから村井さんを殺した。上祐さんだったら確実に殺していたと。事件から随分と時間は経ち、徐さんは刑務所を出てきた。でも、あの時の衝撃と恐怖の記憶は残っているし、自分を殺したかったと言う人と同席するなんて…。とても無理だと思ったはずだ。でも、「真相を知りたい」と上祐さんは出席してくれた。何が起こるか分からない場に命がけで出てくれた。すごい人だと思った。上祐さんに対する考えが一変した。麻原についても、事件全体についても衝撃的な発言をしてくれた。

長野などでも対談したが、その度に教えられることが多い。今回も久しぶりに会うし、今の状況をどう見ているのか。政治、宗教、思想状況について聞いてみたいと思っていた。それに、今日は元公安調査庁の西道弘さんも出るという。元公調の人とどんな話になるのか。それよりも大体、「話し合い」になるのかどうか不安だった。

ちょっと説明しておくが、右翼・左翼を調べているのは主に警察の公安だ。左右の活動家を取り締まり逮捕する。やはり「公安」と言われることもあるが、もう一つ公調がある。これも左翼、右翼を調べ、つきまとっている。でも法務省の管轄だし、逮捕権はない。金を使い、協力者（スパイ）を獲得して情報を集めている。

西道弘さんは元公調職員だ。国内の左翼や外国のテロリストの情報を調べていた。そして中田考さんと会い、調べるうちに、感化される。そして何と、西さん自身がイスラム教に改宗する。これは週刊誌にも大々的に取り上げられた。「情報を取るための偽装」と疑われたこともあったらしい。しかし本気だった。公調にも居づらくなり辞めた。それ以来、公調の実態、犯罪を暴露し、告発している。既に上祐氏とは何度か話し合っている。この日、ロフトに行ったら入り口の看板にこう書かれていた。〈激論！　今注目の元公安×鈴木邦男×上祐史浩。イスラム・右翼・オウムから見えた「公安の秘密」と「宗教の未来」とは⁉〉。なんとも煽動《せんどう》的な文章だ。会場は超満員。僕も緊張した。ただ「激論」にはならなかった。それ以上の衝撃的な話は聞けたと思う。

僕は長い右翼活動家生活の中で、左翼とは殴り合いの喧嘩をしてきたし、「敵」だと思っていた。

だが、「敵」としての評価もあり、時には敬意も生まれた。ただ警察の公安、法務省の公調は別だ。「敵」として認める気もない。許せない存在だ。日本の過激派を取り締まり日本の治安を守るというが、左右の運動家を煽《あお》り、むしろ〈事件〉を起こさせている。こんな連中は許せないと思っていた。まともに話し合ったこともない。それなのに元公調の人と今日は会ったのだ。

僕の持っていた疑問も全てぶつけて西さんに聞いた。西さんも真剣に答えてくれる。警察の公安だと、入るのに相当の覚悟がいるが、法務省の公調ならば、意外と、軽い気持ちで入る人もいる。就活のためのHPなどもある。政治、宗教などの情報を集めるインテリジェンスだと思っている。オタク的な者も多いという。そこまで公調の話をするのだ、西さんも相当の覚悟をもって話しているのだと思った。いろんなことが分かってきた。今まで全く接触がなかった公調だ。その人と話が出来たことは大きかった。

9月6日(水) 今日も、思いがけない人と会った。右翼運動をやってる時なら絶対に会うことのない人だ。『創』の篠田博之編集長が、その場を作ってくれた。なんと、元検事さんと会わせてくれたのだ。篠田さんが取材を通して会った古畑恒雄さんだ。連合赤軍事件の時、青砥《あおと》幹夫さんや植垣康博さんたちを取り調べたという。古畑さんは今は弁護士だから話せる。でも、よく、こういう場に出て来てくれたと感心する。篠田さんが呼びかけて、連合赤軍事件の元被告たちを集めたのだ。当の青砥さんもいる。他のメンバーもいる。連赤の漫画『レッド』を描いている山本直樹さんもいる。僕も参加した。銀座の貸会議室に集まったのは10人以上の人たちだ。元「連合赤軍と検事」で、よく出会えたものだ。

検事は「敵」だと僕はずっと思っていた。公安・公調は尾行、張り込みなどをやって左右の運動家を見張り、そして逮捕する。起訴されたら検事が、徹底的に調べ、断罪する。少しでも重くなるように全力を尽くす。対する弁護士は、少しでも刑が軽くなるように尽力する。その上で裁判官は判決を下す。そう思っていた。一般の人だって、そう思っているし、基本的に間違いはないと思う。エンタテイメント、小説やテレビ、映画でも検事はそう扱われる。ところが、その日現れた古畑さんは違う。全く違う。被告のことを必死で理解しようとし、刑を軽くし、少しでも早く社会に出られるように努力する。「馬鹿な。そんな検事なんているはずがない」と僕は思った。でも、実際にいたんだ。「厳罰を下し、社会から排除するのではない。更生し、やり直してもらいたい。早く社会に出てきて、やり直してほしい。そういう気持ちでした」と当の古畑さんは言う。「それじゃ検事じゃないだろう」と思った。でも、検事に、取り調べられた元連合赤軍の青砥さんが、この場に出ていた。古畑さんの話は本当だと認めてくれた。「古畑さんと出会ったのは幸いでした。尊敬できる検事さんでした」と言う。同じ運動をやってた人も、「青砥氏は幸運だった」と言う。「尊敬できる検事」に会った人なんて、他にいないだろう。「他にもいます」と古畑さんは言うが、たとえいたとしてもその人は出世しないだろう。鬼のような形相で被告を怒鳴り、厳しい刑を求刑する。被告に同情心など持つはずがない、そう思っていた。

連合赤軍は極悪非道な連中だ、という先入観はなかったという。そんな検事がいるのか。初めて青砥さんに会った時「職業は?」と聞いた。青砥さんはすかさず答えた、「革命家です」。それが爽《さわ》やかで感動したと言う。そう答える被告もすごいが、その答えを聞いて感動する検事の方もすごい。普通なら、「何言ってるんだ！　偉そうに！　ただの犯罪者のくせに！」と一喝するだろう。

「息子が捕まった」と聞いて青砥さんのお父さんが駆けつけてきた。古畑さんは特別に会わせた。でも、青砥さんは一切父親の説得には応じていない。活動家は皆、そうだろう。その光景を見て、古畑さんは、この純心な青年を何とか父親の元へ返してやりたいと思う。そんなことを思う検事がいるのか。初めて聞く話だ。検事も被告人も、心の交流があった。でも、現役の時は、言えなかったことだろう。

それにしても検事と心の交流があったなんて、青砥さんは幸運だった。他の人に聞いても、そんな検事に会った人はいない。僕だってそうだ。右翼運動を長い間やってきて、その間に、何度も何度も捕まって、検事の取り調べも何度もあった。「いい人」なんていなかった。いくら思い出しても自分の記憶の中からも消えている。あっ、そうだ。一人だけいた。忘れられない検事が。青砥さんの会った古畑さんとは違うが、こっちは、いかにも検事らしい検事だ。検事の代表のような人だった。名前も覚えている。忘れられない、まるで歴史的な舞台にいるように、語る人だった。

ある事件で逮捕され、警察の取り調べも終わり、検察庁送りになって、部屋に入ると、その検事は思いがけないことを言う。

「昔から鈴木さんのことは知ってました。現代における北一輝だと思ってました。必ず法廷で対決すると思ってました」と言ったのだ。僕はただの一活動家で、北一輝にたとえられるような人間ではない。随分とヨイショするな、と思った。この出会いも必然のような話をする。随分と芝居がかった検事だ。それほど自分の仕事に自信と誇りを持っているのだろう。ただ、大げさに人を持ち上げておきながら、その次にはこう言った。

「現代の北一輝と、いつか会える。そう思って期待していた。でも、こんな事件で会うとは思わなかった。こんなくだらない事件で会うとは！　がっかりだ！」

あとは罵倒と愚痴だ。俺のような優秀な検事がなぜこんな奴の、こんな事件を調べなくてはならんのだ、そういう思いが顔に出ている。こっちもカーッとなって「くだらない事件」というが、それは、警察が勝手に作ったものだ。だったら、警察を怒鳴ればいいじゃないか！　と言いそうになった。でもそんなことを言って反論したら、さらに重い罪を求刑されるだろう。グッと我慢した。

朝日新聞の記者が射殺される事件があった。赤報隊事件だ。当時、僕は関係があると疑われ、何度も別件逮捕、ガサ入れ（家宅捜索）をされていた。もう15年以上も前のことだ。一水会の事務所にいた時、ガサ入れされた。赤報隊と思われる人物がどこかを襲い爆弾をしかけたという。全くの言いがかりだ。納得がいかないので令状を丹念に読んでいた。そうしたら、「もういいだろう」と言う。それでも無視して読んでいたら、イライラしたのだろう。警察の主任らしい男が、「もういいだろう！」と言って、逮捕令状を取り上げた。こっちは、しっかり握って読んでいた。それを急に取り上げたので、ビリっと破れてしまった。「しまった！」と彼は思った。自分の過失になる。その瞬間、思わぬ反撃に出た。「あっ！　破った、お前が破ったんだ。公文書毀棄《きき》だ」「逮捕しろ！」と言った。何言ってんだ、バカだなと、きっと皆、思っていたはずだ。しかし、上司の命令には逆らえない、その後に逮捕された。

皆が見ているのだ。こんな馬鹿なことはない。警察で話をしたら、分かってくれる。そう思って、パトカーに乗った。でも警察も信じてくれない。そして、検察庁に送られ、例の検事と対決した。彼も警察の言い分だけを信じている。検事なんて皆そんな人ばかりかと思っていた。だから古畑さんのことでは大いに驚いた。

第13回 政治活動の覚悟

『創』17年12月号

新宿南口で立憲民主党の応援演説

10月8日（日） 朝6時16分、東京発の北陸新幹線に乗って金沢へ行く。8時40分金沢着、岩井氏が迎えに来てくれたので彼の車で七尾へ。約1時間だ。「生長の家学生道場」の後輩、布清信氏と合流して車で1時間半、能登市へ着く。大森知義先生の実家に行く。僕は学生時代、赤坂乃木坂にあった「生長の家学生道場」にいた。生長の家の大学生が全国から35人集まって寮生活をしていた。

単なる寮ではない。朝は4時50分に起床し、お祈り、講話がある。日の丸掲揚や体操、掃除もある。それが終わって朝食だ。昼は各自の大学に通う。夜はまた、お祈り、講話、勉強会がある。生長の家の大会がある時はいつも動員され、会場整理、車の誘導係をさせられた。さらに街に出て、街頭演説、会場をかりての演読会もやった。また、生学連(生長の家の学生部)と一緒になって憲法改正を訴えるデモや集会などもやった。文字通り「道場」であり、活動家のたまり場だった。そこに4年間いて、修業をし、勉強した。その後の人生において、ここでの4年間で得たものは大きい。ここが全ての原動力になっている。

学生道場は学生の自治会があったが、その上に道場長と寮母さんがいた。ご夫婦だ。この二人が道場生を指導してくれた。生長の家の本部講師であったから、道場に泊まり込み、学生の指導に専念した。元海軍にいたので、何でも知っている。戦争、政治、宗教…と、あらゆることを知っていて、毎朝、講話してくれる。無知な僕らはこの先生に教えられたことが多い。ものすごい勉強家で、ご自分で研究し、独創的な工夫も加えて、「詩吟」や「速記」などを教えてくれた。学生が35人も集まると、酒を飲むか、遊びに行く話の方がまとまりやすい。しかし、そこは宗教的な道場だから、そんな不心得な人間はいない。酒、煙草は禁止、女性との交際も禁止。生長の家の活動をやり、日本のために闘う。それだけを毎日、言われた。でも結構、楽しかった。いろんなことを勉強している学生がいるし、刺激を受けた。徳富蘇峰の『近世日本国民史』百巻を買って毎日読んでいる人がいる。「敵を論破する為だ」と言ってマルクス、レーニン全集を買って読んでる人もいる。もちろん生長の家総裁の谷口雅春先生の本は皆、必死に読んでいた。道場長、寮母さんには本当にお世話になった。あの4年間がなかったら、その後の生活も活動もなかった。

そのご夫妻も亡くなられてかなり経つ。お墓参りに行かなくては…と思いながらも、遅れに遅れた。やっと、この日、布氏たちと一緒に行ったのだ。去年までは息子さんがおられたが亡くなり、今はお孫さんが大森家を継いでいる。文房具屋さんをやっていた。さっそく、お墓に行く。そして家に帰り、仏壇にお参りする。「鈴木君はよく勉強をしている。今じゃ本も書いてるし」と先生に言われたことがある。

その先生のことを『反逆の作法』という本の中に書いた。とても喜んでくれた。道場長が亡くなった時は、その本をお棺の中に入れ、「鈴木さんが書いてくれたんだよ」と寮母さんが言ったという。また、本をまとめて買って、お葬式の時に来た人々に渡したという。お孫さんから聞いて、涙が出た。こうして本を書けるようになったのも、そこの道場で、教えてもらったからだ。あそこの生活がなかったら、何もなかっただろう。

その思い出深い『反逆の作法』は河出書房新社から出ている。2014年だ。今は作家になった武田砂鉄さんが、当時、河出にいて、この本を作ってくれたのだ。「先月、9月20日（水）に神田の東京堂書店でその武田砂鉄さんと対談し、この本のことも話しました」と先生のお孫さんとも話をした。この時は、創出版から『言論の覚悟　脱右翼篇』が出版され、その出版記念トークだったのだ。これがその本ですとお孫さんにあげた。武田さんにはその前に『竹中労』も作ってもらった。どちらも思い出深い本だ。『反逆の作法』という題名も武田さんがつけてくれた。僕自身が若い時から影響を受けてきた人々について書いた本だ。ちょっと変わった本だ。今読むとかなり宗教的な本でもある。大森先生だけでなく、谷口雅春先生、そして、イエス・キリスト、ドストエフスキーなども「影響を受けた人」として書いている。

一人ひとりについてのタイトルやサブタイトル、見出しのつけ方もうまい。武田さんがやってくれたのだ。たとえば大森先生だ。これが激しい。

「宗教家は平和を希求するな、剣を投げ込め」

〝命がけで働き、命がけで勉強する。そして命がけで闘う〟

これは生長の家や学生道場での改革運動について書いているのだろう。僕は学生道場へ入り、2年の時に自治会の委員長になった。その時、思い切った改革をやり、かなり強硬に変革を進めた。学生道場を闘う拠点にしようとした。まるで僧兵のようだった。その頃の僕自身の気迫、闘いについて書いた。大森先生は全面的に支持してくれた。今まで、あれほど信じてもらえたことはなかったと思う。その時のことを書いている。そのことをくみとって、うまくタイトルをつけている。

10月14日(土)　宮台真司さんに言われて、新宿に行く。立憲民主党の選挙応援だ。枝野さん、長妻さん、海江田さんなど、火を吐くような演説だ。ものすごい数の人だった。こんなに人が集まって聞いているなんて、初めて見た。小林よしのりさんも来て、応援演説をしていた。すごい、これで流れは変わると思った。僕も演説した。こんな大勢の聴衆の前で話すなんて初めてだ。ふるえたが、でも、ものすごい拍手、歓声だ。実に気持ちがいい。これを取材した記者たちも皆、驚いていた。

翌日から書き方が変わった。「立民だけが自民党と真正面から闘っている」「彼らは筋を曲げなかったから、皆に支持されているし、希望の党とは違う」と書いていた。こんな苦境の中、どんどん「希望の党」へと逃げ出していく中にあって、枝野さんたちは、あえて「立憲民主党」を立ち上げた。それはすごいことだ。自分たちの立場を「保守」しようとしたら、こんなことは出来ない。偉いと思った。小林よしのりさんも、だから来てくれたんだろう。「明日は大阪に行って辻元清美の応援です！」と言っていた。「安倍の保守はニセモノだ。わしこそが本物の保守だ。その本物が言うのだ。枝野はすごい、こいつは本物だ」とブチ上げる。アジ演説としても一流だ。

選挙が終わったら、民進や希望の党にいる連中は、皆こっちにくる。「その時は皆、入れてやったらいい。排除などしないで、踏み絵も踏ませずに、そして党の中で議論をして決めたらいい」と私は演説した。ともかく、歴史の「変革の現場」に立ち会ったという感じだった。

でも、「鈴木は転向しやがって、左の応援ばかりしている。許せない！」と言う人もいる。昔の仲間も言う。石川に行った時、布氏にその話をしたら、「鈴木さんは学生道場で勉強したことを今も実行しているんですよ」と言う。そして、「万教帰一です」と言う。「右も左もない。その目的とすることは同じだ。その話し合いを鈴木さんはしています」と布氏は言っていた。そんなことを言われたのは初めてだ。そんな大それたことはやってないが、とにかくうれしかった。

家に帰ってきて、もう選挙応援はないだろうと思っていたら、10月21日(土)に、何と、山口県に行くことになった。山口4区は安倍首相の本拠地だ。でも、そこに黒川あつひこさんが単身、飛び込んで立候補した。彼はモリカケ問題については地元で調査し、首相の犯罪を訴えている。安倍首相を糾弾する集会で何回か会った。その彼が、それだけで満足できず山口に行って、無所属で、単身、立候補したのだ。なんと無謀なことを、と誰もが思った。山口は熱烈な安倍信奉者が沢山いる。いきなり攻撃されるかもしれない。恐くないのか。多分、その恐れは少しはあっただろう。でも無謀な男気が勝った。そして、ずっと選挙運動をやっている。

これも男気だ。勇気だ。いや、蛮勇と言うべきか。これはすごい。町の人は誰も顔を合わせてくれないと思った、と黒川さんは言う。実際、そんなことはない。それに、こういう形で「選挙」が行われたことは初めてなので、対立候補なんて今まで一人もいなかったのだろう。山口4区は、5人ほどが立候補している。しかし、不思議なことに選挙カーの1台も通らない。選挙事務所も見かけない。人々が選挙の話を全くしていない。ここは安倍さんしかいない。そんな感じかもしれない。そこで初めて「対立候補」が出たのだ。

10月21日（土）　山口県へ向かった。山口県にある飛行場に行くつもりでいたら、「北九州空港に行って下さい」と言う。えっ、九州に行っちゃうの。そこに迎えの車が来ていて関門海峡を渡って、山口に入る。静かだ。選挙運動なんて全くない。「皆、あきらめて、もう運動なんかやらないんです」とボランティアの人が言っていた。選挙運動をしているのは黒川さんだけか。町にも人はいない、商店街にもいない。それで団地や住宅街に入って、灯のついた窓に向かって演説する。僕もそうやった。

　ほとんどは無関心だが、中には窓をあけて手を振ってくれる人がいる。これはうれしかった。僕は一日来ただけだが、単身、闘っている苦労は分かった。「敵」が出てきて、闘っているのではない。どこにも「敵」らしい姿は見えない。「いや、そんなことはない。自分は一人で安倍と闘っている」と言っているのが黒川氏だ。最後の最後までマイクを握りしめ、市内をまわる。「一発逆転を祈って闘っております」と言う。まさか「逆転」など、誰も信じていない。マイクで言うのも躊躇《ちゅうちょ》する。でも黒川氏は言う。堂々と言う。強いと思った。

　この日はずっと雨だった。傘をさし、ずっと演説をする。スーツの下は長靴だ。道がぬかるんでいてもどこでも行って握手してもらう。覚悟が違う。心構えが違う。その姿に感動し、全国からボランティアが大勢集まっていた。こんな選挙のやり方もあるのかと感心した。

　たった一日、一回の山口行きだが、感動し、得たものは大きい。学生の時は、あんなに厳しい寮にいて修業してたはずなのに。今は体がなまっている。精神がなまっている。黒川さんの意気と行動にハッパをかけられた。

第14回
三島事件の11月

『創』18年1月号

大館市で講演。11月14日(火)

11月4日（土）　イルカの解放運動をしている坂野正人さんに呼ばれて、お茶の水のエスパス・ビブリオに行く。『野生のエルザ』『シートン動物記』の翻訳者であり、日本における動物保護、環境保護運動のパイオニア・藤原英司さんの残したメッセージを継承していくための集まりだ。藤原さんは、「エルザ自然保護の会」会長として活動してきた。藤原さんの下で長年、副会長をしてきた女優の岡崎友紀さんも来ていた。藤原さんは秀才で、小学校5年で芥川龍之介の全集を読んだという。中学2年で三島由紀夫全集を読んだという。すごい。ぜひ会いたかった。でも２０１７年の夏に亡くなられた。娘さんが子供の頃、「水族館へ連れてって」と父親にねだった。そしたら「捕えられ、監禁されている魚を見て、楽しいか?」と聞かれた。それでハッと目がさめて、「ごめんなさい」とあやまったという。「捕えられた魚」と言う父親も凄いが、その説明を聞いて納得する子供も凄いと思った。

11月11日（土）　三重県四日市に行く。70年11月25日、三島由紀夫と共に自決した森田必勝のお墓参りだ。森田氏は早大で僕の2年後輩だった。一般学生だった森田氏を我々が右派学生運動に誘った。

誘った我々は就職したり、大学院に残ったりしていたのに、誘われた森田氏はずっと運動を続けていて、三島と一緒に自決した。申し訳ないと思った。憂国忌、野分祭など、両氏を追悼する集いをやっている人々は、皆、そうしたやましさを心に持っている。追悼の集まりだけでなく、10年ほど前から、森田氏の故郷、四日市でお墓参りをしている。各地から集まっている。そのあと森田氏の実家に寄る。お兄さんが88歳で元気だ。家には必勝氏の銅像も建っている。お兄さんといろんな話をした。

11月13日（月）　午後3時から、ＡＮＡコンチネンタルホテルで、『週刊現代』の座談会。三島事件についてだ。作家の中川右介さん、元「楯の会」班長の本多清さん、そして僕だ。かなり突っ込んだ話ができたと思う。

11月14日（火）　秋田県の大館市に行く。午後6時から大館労働福祉会館で僕の講演会。日本会議や改憲を目指す安倍政権について話す。満員だった。社民党の県議の石田さんが主宰し、地元の新聞にも広告を出してくれた。会場に行く前、御成座でやっている福田文昭さんの写真展を見る。また、秋田犬会館を見る。大館は「きりたんぽと秋田犬のルーツ」といわれている。渋谷の駅前にある忠犬ハチ公は実は秋田犬で、この大館で生まれたという。市内には「ハチ公神社」まであった。秋田犬はプーチン大統領など世界中で愛されている。

11月15日（水）　前日は大館に泊まる。この日は石田さんが秋田市に行くので、送ってくれる。その途中、「小林多喜二生誕の地」や「花岡平和記念館」などを案内してくれる。あの花岡事件のあった所かとわかった。秋田に着いてからは秋田国際教養大学に行き、そこの図書館を見せてくれる。前に新聞に大きく紹介されていたので知っていた。ものすごく大きな図書館だ。世界一だろう。内部は全部、木でできている。そのうえ24時間、利用できる。

この大学は、授業は全部英語でやり、1年間は必ず留学しなくてはならない。真の国際人を育てるためで、できて13年ほどだ。創設したのは中嶋嶺雄氏だ。本で読んだことがあるが、この大学のことは知らなかった。スケールの大きなことを考える人だ。

11月16日(木) 夜6時、銀座の「まじかな」で高須基仁氏プロデュースの講演と対談がある。里美ゆりあさんの出版記念で、さかもと未明さんと彼女の対談。未明さんとは本当に久しぶりで、なつかしかった。未明さんは激しく明るい政治マンガを描いていた。僕は夢中になって読んでいた。ところが10年ほど前、病気で倒れた。やっと回復、復帰した。これからまた大活躍するだろう。楽しみだ。そのあと、下北沢に行く。ジャーナリストの及川健二氏主催の会。フランスのテレビ局の記者をしていた。ルペンさんなどとも親しい。そこで田中康夫さんなどに会う。あいかわらず明るい人だった。

11月17日(金) 高田馬場で新聞の取材。何と、「ゴルゴ13」についてだ。全国紙が特集するようだ。世界を股にかける殺し屋(スナイパー)の物語。さいとうたかをさんが描く劇画だ。描くスタッフが10人以上いる。まるで工場のようだ。それにプロの作家、脚本家の方たちもいる。分業化して、やっている。50年も続いているが、一度も休んでいない。10年ほど前、オフィシャルブックの『ゴルゴ学』が出た時に、僕は、さいとうたかをさんと対談した。これは光栄だった。単行本を200冊くらい読破して対談に臨んだ。この劇画で国際政治を勉強したという人が多い。また、〈仕事〉に対する情熱、態度などを学んだという人も多い。僕も多くのことを学んだ。今月の5日には大阪でやっている「ゴルゴ展」を見に行ってきたし、その帰りに、釈徹宗さんに会ってきた。

『ゴルゴ学』の取材の後は、下北沢へ。世田谷区長の保坂展人さんの報告会とパーティがあって出席する。宮台真司さんも来ていた。保坂さんと対談するのだ。「立憲民主の選挙応援はありがとうございました」と宮台さんに言われた。宮台さんに言われて、応援に行ったのだが、むしろこっちが礼を言いたいくらいだった。あんな「歴史的な場」に立てたのは感動したし、新宿で演説したが、小林よしのりさんも来ていた。やはり宮台さんが誘ったからだ。小林さんと僕が「応援演説」をした。リベラルではなく、別の人たちが応援に来ているので話題になって、その時、ものすごい人だったし、ともかく熱かった。こんなに人々が集まり、熱くなった選挙運動は初めて見た。マスコミの人たちも驚いて、次の日から報道が一変した。「立憲が伸びる」「野党第一党になる！」と。その通りになった。歴史が動く瞬間を見たと思った。また、それを仕掛けた宮台さんも凄いと思った。

11月18日(土)　愛知県の岡崎に行く。愛知県弁護士会西三河支部から呼ばれたのだ。弁護士さんの集まりだ。その人たちを前にして、僕なんかが喋ることがあるのか。でも、青木理さんとのトークセッションで、テーマもすごい。「私たちはどこへ向かうのか＝危険な空気に抗う」。なんか難しそうなテーマだ。でも、青木さんも僕も日本の公安警察について本を書いている。「それに二人とも新聞社にいましたし」と主催者は言う。青木さんは共同通信の記者で、警察の担当をしていた。韓国の支局にもいた。しかし、僕は産経新聞にいたが、販売局と広告局にいただけで、記者ではない。でも、公安については取材し、新書を出している。「僕は公安を取材して書きましたが、鈴木さんは公安に取り締られていた対象ですから」と青木さんは言う。お互いの立場から公安を論じ、この国が向かっている危ない方向について話をした。こうして青木さんと公安の話をするのは初めてかもしれない。

弁護士会が主催し、こういう硬いテーマだから、人は集まらないと思っていたが、岡崎商工会議所大ホールが一杯だった。700人以上は入っている。驚いた。終わってからも活発な質問が出る。その後はサイン会だ。主催者が二人の本も集めてくれ、かなりの本を用意している。100人以上の人が並んで待っている。サインした。今までで一番サインしたような気がする。それから、打ち上げ会だ。かなり大きな居酒屋の大部屋だ。今度は全員が弁護士さんだ。これもすごい。弁護士さんが、いつ頃から弁護士になろうと思ったのか。僕も興味があるので聞いてみた。また、その理由も。そしたら弁護士さんが自己紹介しながら、答えてくれた。ほとんどが小学生の時だという。小学生の時から、自由や人権に関心をもって弁護士になりたいと思うのか。すごい。僕なんて、小学生の時なんか、弁護士という職業があることも知らなかった。また、同じく司法試験を受けても、検事や裁判官になる人もいる。その違いは、どこから生まれるのか。小学生の頃から、「悪人を裁いてやる」と思う子どもがいるのだろう。ちょっと恐い。

酒が入って、個人的にいろんな話をする人もいる。親の仕事を継いで弁護士になった人、親に反発して弁護士になった人、さまざまだ。中には何度も司法試験に落ちて浪人した人もいる。10年も浪人した人もいた。ずっと落ちて、がっくりした時に、「鈴木さんの本を読んで、励まされ、がんばりました」という人もいた。驚いた。弁護士になる人を僕は励ましていたのか。すごいと思った。胸が熱くなった。こっちこそ、励まされた。そして最終で東京に帰る。

11月22日（水） 夜6時、三上元さんと会う。前・湖西市長だ。原発反対を貫いた市長で、今もその運動をやっている。同じく反原発の菅直人さんを連れてくる。久しぶりだった。立憲民主党から出て当選した。「おめでとうございます」と言った。これからの立憲民主の闘い、脱原発の闘いなどについて話し合った。

「せっかくだから、今日は三島由紀夫の話もしましょうよ」と三上さん。実は新橋のこの店は、三島がよく来ていた店だ。その部屋を予約してくれた。三上さんも三島が好きだという。「もうすぐ決起の11月25日」という。11月は三島の追悼の集まりが多い。右翼ではない人たちと三島の話をするのもいい。

11月23日（木）、午後3時から結婚式。「楯の会」の初代学生長だった持丸博氏の息子さんの結婚式なのだ。持丸氏は数年前に亡くなったが、この結婚をとても喜んでいるだろう。

11月24日（金）　午後6時から高田馬場で「三島、森田両烈士顕彰祭」。第1部は式典。第2部は記念講演。講師は作家の大下英治さんで、テーマは「三島由紀夫の思想とは何か」だった。

11月25日（土）　午後2時、永田町の星陵会館大ホールで「憂国忌」。追悼祭としては一番大きな集まりだ。全国から人が集まっていた。

11月26日（日）　仙台で行われた映画会に出る。昼から映画「エロス＋虐殺」の上映。その後、康芳夫さんと僕のトーク。「アナキズムと日本ファシズム。大杉栄と甘粕正彦」について話し合う。康さんは三島とも親交があり、森田必勝氏は康さんの会社でバイトしていたこともある。その話もふくめて、当時のことを語り合った。

第15回
映画と芝居、三島と麻原

『創』18年2月号

「映画祭　映画と天皇」で講演。12月10日

12月3日（日） 午後2時半から「学び舎遊人」で「東京読書会」。〈私たち「鈴木邦男」の味方です！　新刊『天皇陛下の味方です』を読み解こう！〉。ちょっと変わった読書会だ。僕の書いた本を取り上げて、皆で勝手に議論し合う会なのだ。「書評」を超えて自分の意見、偏見、暴論が出ることもある。しかし何を言うのも自由だし、それを頭ごなしに否定したり潰《つぶ》したりはしない。話している人が、「あれっ、自分はこんなことを考えてたのか」と話しながら疑問に思うこともある。それも大歓迎だ。東京のほかに名古屋、大阪でもやっている。結構、楽しくて参加者も多い。「どんなに変なことを言っても頭ごなしに論破されることがないのでいい」と言っていた参加者もいた。時にはスピリチュアルな話をする人もいる。普通なら、「何を馬鹿なこと言ってるのだ！」と止めさせる。それがここではないのだ。自由な空間が保障されている。それは多分、取り上げる本のせいでもある。今回取り上げたのは僕が8月に出した本だ。『天皇陛下の味方です～国体としての天皇リベラリズム～』（バジリコ）だ。苦労して書いた本だ。5年ほどかかり、何度も中断し、迷いながら書き続けた。そ

の苦難のすべてを書いている。迷い、悩みながら書いた。書き方も一貫していない。「この道しかない！」と断言する本でもない。「なんだ、この本は。読んでられないよ」と言われると思った。400ページ近くあるし、定価も1800円と高い。とても売れないと思っていた。出版社もよく知らないが、小さいようだ。社長が一人でやっているようだ。話題にもならないし、書店にも並ばないと思っていた。

ところが不思議にも、売れている。知らない人からも「読んだよ。面白かった」という声を聞く。「えっ、どうして買ったの？」「本屋で売ってたの？」と、僕の方が驚いて聞き返している。

書く側に迷いがあり、書き進める中でも悩み、迷った。「あれっ、こんなに迷いながら書いてもいいのか」と思った読者も多かったようだ。いや、自分でも書いてみたいと思ったかもしれない。また、いくらでも批判したり、意見を言える。脇の甘い本だ。そんな本だから、「読書会」のテキストとしてはよかったのかもしれない。

それに、出版したバジリコがうまいのだ。よくやっている。朝日新聞、東京新聞などに大々的に広告を出した。えっ大丈夫なのかな、と思った程だ。それに、本の表紙に書かれたコピーがいい。全ての疑問を吹っ飛ばすような力強いコピーだ。

〈人は右翼というけれど、中国人と朝鮮人をやっつけろというのが右翼なら、日本人が一番エライというのが右翼なら、そして「愛国」を強制するのが右翼なら、私、右翼ではありません〉

凄い。強いコピーだ。「私、右翼ではありません」と大きく書いている。なかなかいい文章だと感心した。僕ではとても書けない。でも、自分の言いたいことが全てここにはある。本当にうまいと思った。そんなバジリコの作戦が当ったのだろう。いろんな人が書評で取り上げてくれた。元日刊ゲンダイの二木啓孝さんが自分のやっている勉強会で採用してくれた。秋田県や愛知県の講演会に行った時も、「これがテキストです」と紹介されていた。「いや、本屋にもないし」と思っていたら、結構あるようだ。そして、増刷した。また、新左翼運動のカリスマといわれた滝田修さんが、絶賛してくれた。「さすがは鈴木だ」と言って。「鈴木こそホンマものの右翼だ。ホンマものだからこそ、一般右翼からは批判されるのだ」と。

12月10日（日） 日大芸術学部の学生がやっている「映画祭」の講師として呼ばれた。芸術学部映画学科の学生だ。学問として、やっているのだ、映画論、研究を。だから映画研究のレベルは高い。映画祭としての映画の選択眼は超一流だと思った。テーマは〈映画と天皇〉だ。天皇は映画の中でどう取り上げられたか。絶賛、支持、批判、否定…と、いろんな立場の映画が並んでいる。こんな危ない企画をよくやったものだ。その勇気に感心した。勇気だけでなく、取り上げ方も素晴らしいと思った。高名な映画評論家がやっても、これだけのことは出来ないだろう。12月9日から15日までの1週間、渋谷のユーロスペースで、その「映画祭・映画と天皇」は行われた。1日4作品。上映後に監督や評論家、ライターによるトークがある。連日、満員だったという。

僕が頼まれた12月10日は、朝から4作品の上映、そしてトークが行われた。「戦ふ兵隊／日本の悲劇」「日本春歌考」「11・25自決の日」「新しい神様」の4本だ。3本目の「11・25自決の日」に出た。3時半から上映が始まる。その後、トークに出た。超満員だった。若松孝二監督が撮った映画で、「三島由紀夫と若者たち」というサブタイトルがついている。三島事件と、そこに参加した「若者たち」を取り上げている。僕は「企画協力」で名前が出ている。「なぜ右翼の映画を撮るんだ」と周りからは批判されたらしい。でも監督は全く気にしない。

連合赤軍の映画を撮った時は、監督はそのビデオを持って北朝鮮に行き、「よど号」グループに見せた。皆、泣いていたという。自分たちの過去、仲間だ。自分たちが日本を離れたので起きたのだという責任感もあった。じっと見てはいられなかったという。「11・25自決の日」は、このビデオを僕が持っていった。北朝鮮に行くことがあり、持っていったのだ。連合赤軍とは違い、「楯の会」は彼らには「敵」だ。感情移入はない。平気で見れると思った。しかし見て驚いた。「敵」だと思っていたが、実に真面目で、真面目に日本のことを考え、日本の変革を考えている。スタート地点は違っても、同じことを考えていたのではないか。そう思い、心が揺さぶられた、と言っていた。これには僕もビックリした。帰ってから若松監督に報告したら、「そうだろう」と満足げに答えていた。そこまで予見していたのかもしれない。本当に撮りたかったのは、むしろ三島由紀夫だったのかもしれない。さらには、60年に社会党の浅沼委員長を刺殺した山口二矢《おとや》を撮りたいと言っていた。また、明治維新の時の会津若松の闘い。さらには沖縄戦を撮りたいと言っていた。亡くなってしまい、それは実現しなかった。今、若松監督のあとをつぐ監督が沢山いるんだ。ぜひ、やってほしいと思う。

そんな個人的な話を日大の映画祭ではやった。その映画祭では、天皇を考える上では避けて通れない古典的な作品、問題作、天皇否定の作品…などが混在していて、それがいい。ソクーロフの「太陽」も入っている。外国人の目から、天皇はどう見られていたのか。「人間宣言」で変わったというが、外国人はどう見ていたのか。僕らが知らない〈視点〉があった。実はソクーロフはこの映画を撮る前に日本に来て、歴史学者や評論家などに広く意見を聞いた。でも皆、やめろと言う。「天皇の映画など作ったら危ない。殺される！」と。「やったらいいと賛成したのは鈴木さんだけでした」と言っていた。これが出来た時、日本に来て「これは二人の共同作品です」と言っていた。僕は何もしてないのに、ありがたい言葉だ。自分では、外国人の視点を見たかっただけなのに。

その他いろんな作品があった。映画会社から借りるのに苦労したものもあったようだ。たとえば、「孤獨の人」などは今はどこでも上映されないし、レンタルビデオ店にもない。皇太子さんを主人公にした映画だ。皇太子さんに扮した役者がいて、実際に動き喋るのだ。かなり工夫して映画は作られているが、今はこんなことをやる人はいない。すごい映画だし危ない映画だと思った。また、「ゆきゆきて、神軍」や「新しい神様」もやっていた。「明治天皇と日露大戦争」などの古典的な作品もある。「拝啓天皇陛下様」もある。「天皇と軍隊」「日本のいちばん長い日」などの問題提起作もある。もう一度、全部見たいくらいだ。読書会もそうだが、こういう素材があって、考え、悩み、意見を言う、という形もいいと思った。日大の学生たちとはまた、話し合ってみたい。

12月13日（水） 劇団「再生」の芝居に出る。「再生」には何度か出ているが、いつも高木尋士代表とのトークだ。芝居を見て何を感じたかを話し合っていた。ところが今回は、芝居に出演するのだ。迷った。ド素人の僕が役者のマネゴトなど出来ない。他の人たちの迷惑になる。「でも、麻原をやる人が誰もいないんです。実際の役者にはとても頼めないし」と高木さんは言う。だってオウム真理教の麻原彰晃だ。現代の「大悪人」だ。歴史上の悪人ならばやれる。しかし、今の大悪人なら難しい。役者としても変な色がつく。皆、躊躇《ちゅうちょ》する。こっちも頼めない、と言う。困っている時に、ある人が、

「じゃ鈴木邦男にやらせたら。面白いんじゃないの」と言った。高木さんも「それは面白い」と言って決まったという。面白そうで決められたのか。でも誰もやらないのなら、やってみたい。それに、麻原やオウムを、内面から（少しは）勉強できるかもしれない。結局、僕も興味半分で引き受けた。

芝居なんて生まれて初めてだ。何も知らない。とても劇団の皆に迷惑をかけたと思う。本番ではさらに迷惑をかけるだろう。でも引き受けた。大変だったが、好奇心が先走り、がんばった。

芝居のタイトルはこうだ。「アーチャ語り　親子～重たいドアをあけて道はでこぼこ～」。麻原と娘アーチャリーの親子の物語だ。六本木ストライプスペースで12月13日の一日限りの上演だ。午後２時からと7時からの２回。ものすごい人だった。かなり前にチケットは完売。当日来た人は入れない。「これだったら1カ月くらいはやればよかった」と劇団の人は言っていた。

「誰が麻原をやるんだ」「鈴木が出るのか」と話題を呼んだようだ。麻原には前から関心を持っていたが、会う機会はなかった。会っていたら、完全に取り込まれていたか。恐い。でもあの当時、東大、京大では大学で講演会をやり、満員だった。大学が許可したということは、認めたも同じだ。それで入った学生も多い。また、テレビなどでも文化人たちは絶賛していた。「現代のキリストだ」と言っていた人もいた。でも、今は皆、否定し、罵倒している。麻原の娘のアーチャリーは『止まった時計』（講談社）を書き、身内から見た麻原とオウムを書いている。それをもとに高木さんが脚本を書き、親子の問題として世に問うた。親としての麻原の気持ちも少し分かった。さらに調べ、勉強してみたい。

第16回
闘う読書術

『創』18年3月号

名古屋での読書会。1月6日

1月6日（土）　名古屋に行く。「ウィルあいち」で午後1時から「循環する読書会」に出た。これはなかなか面白い読書会だ。大阪で始まったが、その後、名古屋、東京などでやっている。決められた本を読んで皆で感想を発表しあう。こう言えば普通の読書会のようだが、ちょっと違う。大体、選んでいる本が変わっている。また発表する人も思い切って何でも言える。「こんなことを言ったらおかしいと思われるんじゃないか」「こんなことを考えるなんて私は変じゃないか」という心配は無用だ。変な考えや妄想、危険な感想も出てくる。宗教的な話や暗い話をする人もいる。でも、「そんな話はやめなさい」「本筋から外れるからダメだ」と言って止められたり拒絶されることはない。何でも自由だ。完全なる表現の自由が確保されている。また「その考えはおかしい。こう考えるべきだ」という「指導」もない。どんな意見でも「糾弾しない」「反駁《はんばく》しない」「指導・洗脳しない」。これがモットーの読書会だ。自分と考えの違う人の感想・意見を長々と聞かされるのは苦痛だと思う人もいる。僕も初めのうちはそう思った。他人の偏見や妄想に付き合わされるなんて苦痛だ。これだったら一人で読書していた方が楽しい、そう思った。

でも、その「苦痛」や「自分の思ってもいないことを聞かされること」はプラスになると読書会の主宰者は言う。名古屋読書会を主宰している牛嶋さんは熱心なキリスト教の信者で心も広い。大阪読書会の中谷さんは料理研究家で、いろんな食材を集め、まぜ合わせるように、いろんな人の考えを発表させ、整理するのが得意だ。「循環する」読書会についても、こう説明している。

本を読む時、我々は自分の好きな本しか読まない。また書評なども、自分の気にいったものしか読まない。これでは進歩がない。これではいくら読書しても、自分一人の世界に閉じこもって独り言を言っているのと同じだ。そうではなく、自分と全く違う感想、意見をあえて聞いてみる。不愉快な意見も聞いてみる。そんな中では自分の「自然な感想」も他人にとっては「不愉快」かもしれない。それを思い切って言う。それを中断させようとする人はいない。反対もあるだろうし、少しの共感もあるだろう。自分の考えも幅が出来、広く、大きくなる。そして自分に返ってくる。さらに、その本を書いた著者がいつもいる。その人に自分の疑問や妄想などをぶつけることが出来る。それがまた自分に返ってきて、その場で大きく循環する。その場の全体の空気・雰囲気も循環させ、変える。そういう読書会なのだと中谷さんは言う。

前は、大阪、名古屋では僕の講演会が中心だった。今の日本について、右傾化について、憲法改正について…など。まず僕が話し、そのあと質疑応答だ。どこに行ってもそれが普通だった。「でも鈴木さんはもの書きなんだから、書いた本を読んでもらい、それを中心に話し合いましょう」という提言をしたのが中谷さん、牛嶋さんだ。最近は僕も、迷い、悩みながら書いている本がある。それらの本を中心にやりましょう、と言う。そして、僕の書いた『これからどこへ向かうのか』『天皇陛下の味方です』といった本を読んでもらい、自由に話しあう。「これではもう右翼じゃない」「左翼と変わらない。何を考えているんだ」「それでも〝運動〟をする必要があるのか」と厳しい質問も出る。いや、各自の「読書感想」だ。妄想、独り言の形をとって痛い批判も出る。でもこれは自分がまず考えたことだ。一緒に悩み、考える。

そこで気がついたことが多い。僕は今まで随分と読書をしてきたつもりだ。でもそれは本当に読書といえるものだったのだろうか。特に学生運動やその後の右翼運動の中で読んできた本だ。自分の運動に役立つものしか読んでいなかった。敵である左翼と闘うために読んできた。三島由紀夫を初めとした右派論客の本も「武器」として読んできたのだ。武器にならないものは最初から手に取らない。また自分の小さな判断から世の作家を分類・非難してきた。三島は『憂国』『奔馬』などは感動して読んでいたが、『潮騒』のような恋愛小説、『美徳のよろめき』『不道徳教育講座』などは理解できず、「困るよな、三島さんも。こんな本を書いて」と我々右派学生で言い合っていた。愚かな学生だったと思う。

これでは本を読んで「学ぶ」ということがない。自分の確信を強化するために読むのだから。新しい発見もないし、古い自分が壊されることもない。これは「読書」ではないと思った。そんな古い読書法から脱却したのは奇しくも1970年だった。三島事件はこの年の11月だが、この年の4月に僕は新聞社に勤めていた。学生運動で内紛があって僕は運動の場から追放された。一度は故郷の仙台に帰り、書店の店員をしていたが、縁があって東京の新聞社に入ったのだ。もう運動に戻ることはない。これから一生サラリーマンだ、と思った。そして本の読み方も変えた。運動の本や自分の好きな本ばかり読むのはやめよう。自分の知らなかったこと、痛い思いをする本も意図的に読んでみようと決心した。

竹中労、平岡正明、太田竜…といった左翼的な人と知り合い、その考えに関心を持ったのも読書法を変える一因になった。長い間、右翼運動をやってきて、そこから追放された。「狭い世界だったな」と思ったし、自分のやってきた運動の欠点もやけに目についた。同時に、昔の敵と会うことも多くあった。赤軍派議長だった塩見孝也さん、連合赤軍事件で20年以上も獄中にいた植垣康博さん、よど号ハイジャックで北朝鮮に行った田中義三さん…などだ。皆、魅力的な人たちだった。学生の時に会っていたら完全にオルグされていただろう。会うのが今でよかった、と思った。自分のやってこれなかった運動、世界にも関心を持った。それも新しい読書法に変わる一因になった。

また当時は「読書法」についての本がやたらと出ていた。日本ではこの時が一番出ていただろう。暇のある時にフラっと本屋に入り、目についた本を買う。つまらなかったら、やめる。そんな気ままな読書ではダメだ。「目標」や「ノルマ」を決めて読もう。そういう読書の本が多かった。そんな本を夢中で読んだ。「本はこう読むべきだ」という本だが、皆、体験に裏打ちされている。だから説得力があった。一番説得力があったのはノルマを決めて読むという方法だった。「月に10冊読む」「月に30冊読む」。中にはもっと多く読んでいる人もいた。しかし「月に30冊」という人が多かった。ちょっと目標が高めだが、やってやれないことはない。ノルマとしてはそれがいい。中には「月に1万ページ読む」という人もいた。これだって３００ページの本を30冊だ。でも、いろいろページを数え、それを足して計算するのも大変だ。月に何キログラムと本の重さで計算している人もいた。ともかく変わった読書法が沢山あった。

その中で僕は、「月30冊」というノルマを採用した。それから40年以上、それはずっと続けている。40年以上の長い間には30冊を読めない月もあった。でも、他の月に頑張って40冊ほどを読み、1年間でならして「月平均30冊」は実行してきた。また全集を読んでいた時期がある。学生の時は日本や世界の思想全集が多くの出版社から出ていた。文学全集も出ていた。たとえば100巻もある世界の思想全集を読み切った時などは、「世界を征服した！」という気になったものだ。学生時代のその感動を再び味わいたいと全集に挑戦した時期もある。その時はさすがに「月30冊」は実行できなかった。でも、より大きな目標を達成したのだから、その頃のノルマには少し目をつぶった。

「全集を読む」ことで力を与えられたのは劇団「再生」の代表、高木尋士さんと対談したからだ。もの凄い読書家で、僕がすすめた全集を片っぱしから読んで、僕に教えてくれる。昔読んだので忘れていることが多い。彼は読書を趣味でやっているだけでなく、「仕事」にもしている。たとえば会社の社長が社員の前で挨拶をする。その時、昔の哲学者の言葉をひいて話す。社員も感動する。実は、それは「挨拶」を書いているライターがいるからだ。また、この本について触れたらいいでしょう、と本の中身を紹介している。そういう社長挨拶のスピーチ・ライターだ。それをやっている。さらに書評などもやっている。

この読書家の高木さんとは毎年、1月に会って「読書対談」をやっている。もう10年以上も続いている。とても勉強になるし、刺激になる。「僕も頑張って読まなくちゃ」とハッパをかけられる。会うとまず、「去年は何冊読んだか」という話になる。僕は何とか「月30冊」のノルマを実行しているから、年にして４００冊弱だ。でも高木さんは毎年５００冊以上読んでいる。たいしたものだ。

この２人の対談は公開している。思想的・文学的な本の内容について話し合うこともあるが、もっと実践的な問題が話し合われることが多い。今年は高木さんが、「何故、本を読むのか」「人生にどんな意味があるのか」を語り、その後、一転して、「どうやって本を読む時間をつくるのか」「どこで読むのか」といった具体的な話になった。どこの喫茶店が静かで読書しやすい。山手線がいい。いや、地下鉄の方がいい…といった話が出る。「本は買うよりも読む方に金がかかる」という人もいる。読むために喫茶店に行ったりするからだ。それは僕も体験している。「これは金のかかる趣味なんだと割り切るべきだ」と高木さんは言う。数日前に新幹線に乗って大阪まで行き、すぐに帰ってきたという。別に大阪に用事はなかった。読みたい本があったので、本を読むためだけに新幹線に乗ったのだという。贅沢《ぜいたく》な話だが、でもそこまで徹底するのは偉い。僕も昔はやったことがある。

また個人的な読書週間を作って実行するというのもいい。１年に１週間、「読書週間」を決めて、その間は仕事をしない。人にも会わない。携帯にも出ない。手紙も読まない。読書だけをする。他の人には「１週間、海外に行ってます」とでも言っておけばいい。ただこれはまだ僕も高木さんも実行していない。他にも、いろんなアイデアが出たし、革命的な提案もされた。こんなことを考えて皆で話し合うのは至福の時間だ。

昔と違い、今は「武器」として本を読むことはない。本を読むことで長年の自分の考えが論破されたり、確信が崩れることも多い。むしろ、それこそが読書の効用であると思うようになった。高木さんとの対話もまとめて本にしてみたいと思っている。

第17回 学生道場という青春

『創』18年4月号

布清信君（中央）、飛松五男さん（右）と

2月14日（水） 午後6時半より一水会フォーラム。講師は元衆議院議員の井脇ノブ子さん。テーマは「日中平和条約締結40周年＝未来遣唐使の活動から生まれたもの」。ピンクの背広を着て、「元気・やる気・いわき」と叫んでいた国会議員を記憶している人は多いだろう。彼女は議員になる以前から元気一杯の活動家だったのだ。大学時代は別府大学の自治会委員長として活躍し、左翼学生運動と闘ってきた。「生長の家」の学生を中心にした「生学連」の活動家でもあり、生学連を中心に全国の民族派学生を集めた「全国学協」をつくった時は、副委員長になっていた。この時、僕は委員長だった。安東氏、椛島氏、衛藤氏など今、幹部で「日本会議」で活躍している人々は皆、ここにいた。

この生学連が中心になった全国学協の幹部たちが、そのまま「日本会議」の中心メンバーになるのだ。僕だって全国学協にいたら、そうなっていただろう。しかし、1カ月もしないうちに全国学協で内紛が起こり、僕は追放されてしまう。運動は伸びないのは幹部が無能だからだと突き上げられたのだ。副委員長の井脇さんは僕をかばってくれた。

左右の運動は敵を特定し、「こいつが敵だ」といった形で運動を進める。憎しみや怒りを運動の推進力に使うのだ。でも、井脇さんはそのやり方に反対していた。憎しみや怒りよりも愛を、と言っていた。だから仲間たちを糾弾し追い落とすことにも反対していた。巨大な「少年の船」を組織し、合計５万人の子供たちを教育した。言葉で、そして全力で子供たちを教えた。中国にも連れて行き、「未来の遣唐使だ」と言っていた。中国とは仲良くしなくてはダメだと、この時から言い、実行していた。

一水会フォーラムでもその頃の話をする。また少女時代の悲惨な話もする。僕は学生時代からの付き合いだから40年以上前から知っているが、少女時代のことは知らなかった。テレビ局が撮影したビデオを流して紹介する。貧しくて修学旅行にも行けなかった。小学校に行く前に新聞配達をしたり、海に潜ってサザエやワカメを採って生計を支えた。そんな中で、お兄さんが突然、殺人犯として逮捕され刑務所に入れられた。「殺人犯の妹」と学校でも地域でも言われた。後になって冤罪が晴れ、お兄さんは刑務所を出るが、大変だった。そんな中で、一家を支え、けなげに働き、勉強した。お母さんが「生長の家」の信徒で明るかったこともあり、救われた。その縁で井脇さんも生学連の運動をやる。

僕の家も母が「生長の家」で、その影響で「生長の家学生道場」に入り、生学連の運動をし、３年の時に生学連書記長になる。そして全国を回り、オルグをし、左翼と対決して自治会に出て闘うようにハッパをかけた。長崎大学では左翼から自治会を取り戻し、別府大学では井脇さんが、大分大学では衛藤氏が自治会の委員長になった。そして全国学協、日本会議と進む。その頃の話を一水会では詳しくやってくれた。また、この一水会の３日前、池袋で井脇さんの「誕生パーティー」があって僕も出席したが、ここには「少年の船」時代の教え子が沢山来ていた。日本だけでなく、中国、チベットなどからも来て、井脇さんをたたえていた。井脇さんが来るということでこの日の一水会フォーラムも超満員。彼女の熱気あふれる話に驚き、感動していた。またぜひ国会に戻って大活躍してほしいと思った。

2月17日（土） 午前9時発の新幹線で金沢に行く。僕の講演会だ。そして元兵庫県警刑事の飛松五男さんとの対談だ。岩井正和さんが去年から金沢に転勤になり、「近々、ここで講演会をやりましょう」と言ってくれたのだ。人も集まった。憲法についてまず僕が講演し、その後、飛松五男さんと対談した。日本の治安や警察について、個人の人権や自由などについても話した。僕自身の疑問に思っていることも飛松さんにぶつけて聞いた。何でも教えてくれるし、とても勉強になった。

また、この日は、石川県七尾にいる布清信君も来てくれた。かつて学生時代、赤坂にあった「生長の家学生道場」に一緒に住んでいた仲間だ。国学院大学に通い、僕より2歳年下だった。とても勉強家だった。祈り、行動し、勉強していた。9畳間に3人が入っていたが、夜、遅くまで、信仰の話や運動の話、勉強の話をしていた。朝は4時50分に起きて、お祈りがある。先生の講話もある。国旗掲揚や掃除もある。よく続いたものだと思う。マルクス・レーニン全集を揃えて読んでいる人もいた。「敵をやっつけるにはその中身を知らなくては…」と言っていた。また徳富蘇峰の『近世日本国民史』100巻を買って読みふけってる人もいた。読書する習慣はこの時についたと思う。

布君はとても記憶力がいい。「布、俺の成績表を見せてやるよ」と僕が言って見せてくれたという。ほとんどが優で、良が2個くらいだったという。僕は全く覚えてない。それに、僕が親からいくら仕送りしてもらってたかも知っている。「鈴木さんの仕送りは2万円でした。来ると、あわてて封筒を破り、中のお札まで破ったりしてました」と言う。えっ、2万円で1カ月、生活できたのか。学生道場の寮費は6千円で、朝と夜の2食がつく。あとのお金で昼、大学で食べて、本を買うだけだ。けっこうストイックな生活をしていた。

大学時代のあの4年間は貴重だったと思う。若かったし、何でも出来た。道場で皆で勉強するだけでなく、「生長の家」からは、行動部隊として期待された。青年大会などの場内整理係、車係などで使われたし、また街頭で演説をしたり、左翼と闘うためにいつも大学に行った。スト破りのために全員を連れて行き、かなり怪我をして先生たちに叱られたこともあった。僕は大学3年の時に「生長の家学生道場」自治会の委員長になり、道場生をフルに使うことができた。また生学連の書記長もしながら全国を飛び回った。よくやれたものだと思う。そんな昔を思い出しながら、布君の報告を聞いた。

2月18日（日）　この日は兼六園と泉鏡花記念館に行く。金沢は文学者が多数出ている。鏡花は28歳の時に「高野聖」を書いたという。鏡花には大判の全集があるが、文庫でも全集が出ている。これを読んでみようと思った。途中からひどい雪になった。アラレも降り、吹雪になり、こりゃ大変だ！と皆、ふるえていた。早く帰ろうとなり、昼過ぎ、新幹線で帰った。

2月19日（月）　杉山寅次郎君と待ち合わせて千葉刑務所に行く。守大助さんに会うためだ。守さんは、仙台の病院で、筋弛緩剤を点滴して患者を殺した容疑で逮捕された。今は千葉刑に17年もいる。僕もこの事件のことは知っていた。それに仙台に行った時にたまたま、お父さんに会って話を聞いた。冤罪だという人が多い。僕は全くの初対面だ。寅次郎君、椎野礼仁さん、僕の3人で面会したが、面会の前に、僕だけが刑務官に別室に呼ばれた。「右翼の鈴木さんが何で守大助の面会にくるんですか」と疑問に思ったようだ。ここにいる連赤の吉野雅邦のことを探りに来たのではないかと言う。だから、仙台でお父さんと会った話、支援している寅次郎君に誘われてきたことなどを話して、やっと面会できた。守さんは、「早く仙台に帰りたい」と言っていた。

中では皆、作業をしている。以前は靴をつくっていたが、いまは食事係だという。守さんは他の人に比べ、面会などが多い。そのたびに仕事を抜ける。それで文句を言われたこともあったらしい。今は、仕事のオフの時に面会してるし、他の人に迷惑をかけることはないと言う。気配りの人なんだ。再審の方も進んでいるし、早く、仙台に帰ってほしい。

最近思うが、警察で集めた資料やマスコミの資料で書き立てられたら誰だって「真犯人」にされてしまう。最近、NHKスペシャルの「赤報隊事件」で僕も取材されたが「最もあやしい9人」の一人としてインタビューされた。犯人でなくても捕まったら「真犯人」にされてしまう。こわい話だ。

また何週間も何年もつかまっていたら、やってないことも「自白」をしてしまう。飛松さんも言っていた。「一日あったら、どんな人でも自白させられる」と。こわい話だ。たとえ嘘の自白でも、感きわまって、泣きながら自白するという。そこだけを「可視化」したら、「これは真犯人に違いない」と皆、思ってしまう。だから、部分的に可視化するのはかえって危ない、と飛松さんは言う。

また右翼、左翼、ヤクザ……と警察の付き合いについても飛松さんから話を聞くと、中には「ガサ入れの情報をもらす刑事もいる。右翼担当でもいた。そういうふうに親密にしていれば、もっと大きな情報をくれるはずだと思う。小さなことには目をつぶる。そのことで多くの犯罪が生まれている。(公安)警察が煽り立ててやらせ、あるいは見逃し、そのことが起こした『犯罪』も多い」。昔、ちくま新書で公安警察のことを書いたが、また別な視点から書く必要があるだろう。

第3章

転倒そして入院

阿部勉氏の兄上の慰霊に手を合わせた。2019年１月

第18回 小学校で見た「アリの街のマリア」

『創』18年5・6月号

転倒して顔や手に傷が…（2018年3月）

3月1日（木） 学校に行くのでちょっと急いでいた。あまり走ることはないのに、この時は走った。前傾姿勢で上半身は進んでいるが、どうも足はついていかない。モタモタする。それで転んでしまった。大きく転んだので周りの人も駆け寄ってくれ「大丈夫ですか」と言って助け起こしてくれる。こんな体験は初めてだ。転んだ時、立ち上がろうと、あがいた。その時、頭や顎にも怪我をしたようだ。両手は血だらけだ。体は鍛えている方だと思っていたし、柔道も合気道も三段をとった。それなのにこのザマだ。なげかわしい。

学校に着いたら教職員の皆が「大変だ」「病院に行かなくちゃ」と言って近所の病院に連れていかれた。骨折をしてないか、脳波に異常はないか、などを検査された。両方とも異常はないとのことでホッとする。この日から家で寝ていることが多くなる。また、外を歩いていても異様に警戒する。

次の日、3月2日（金）はアーティストの森村泰昌さんのライブを見に行った。翌3日（土）は桂ざこばさんの落語を聞きに行った。終わって激励のために楽屋を訪ねたら、「大丈夫ですか」「気をつけて下さい」「右翼にやられたんですか」と心配された。

3月10日(日)　浅草で「東京大空襲73年慰霊祭」が行われ、参列した。73年前、一晩で10万人が殺された。これは〈戦争〉ではない。全く戦う意思のない人々を狙って殺し尽くした大虐殺だ。工場や軍事施設もない。木と紙でできた家ばかりだ。そこを狙って焼夷弾《しょういだん》でどれだけ殺せるか、燃やせるかを実験した殺戮《さつりく》だ。当時を体験した人々が、その恐ろしさを語る。逃げまどい、学校や公園に避難したという。

兵庫県から来た村岡信明さんは当時の様子を本に書いている。カラーの絵も沢山入っている。読んでいて怖くなるほどだ。「それは一方的な虐殺だったんです」と強調していた。濱田嘉一さんも体験者で、この人には数カ月前、「大空襲の跡を歩く」会で、現場を案内してもらった。僕らの知らない歴史があったんだと痛感した。また、浅草仲見世の主人なども証言していた。共産党の吉良よし子さんも挨拶し、怒りをぶつけていた。

3月15日（木）　５時から麻布にあるテンプル大学で講演。ここは英語学校だから日本語は禁止。父親の仕事の関係で東京に来た学生が多い。日本人はほとんどいない。渡部真也氏がここで講師をしていて、僕を呼んでくれたのだ。それも演題は「三島由紀夫を通して見るナショナリズム」だ。

真也氏とは僕は20年前に知り合った。また10年前にニューヨークで行われた「日本国憲法を考える」というシンポジウムに呼んでくれた。アメリカの学者が中心だが、この中に「日本国憲法」という映画を作ったジャン・ユンカーマンさん、それに憲法24条を書いたベアテ・シロタ・ゴードンさんがいた。この２人には随分と感化され、教えられた。

ベアテさんは子供の頃、日本に住んでいて、日本の女性がいかに抑圧されているかを知った。だから、日本国憲法の24条を書く時に、「アメリカでもできなかった民主的な条文を書いた」という。また「憲法を押しつけた」といわれる占領軍だが、世界でも一番立派なものを作ろうという夢や希望を持っていたという。それに比べ、今の自民党はただ昔に戻ろうというだけではないか。そんなことを感じた。

今、安倍政権はアメリカの圧力なしに、自由に、「自主憲法」を作ることができる。そして、中国、韓国、北朝鮮になめられない軍備を持つという。しかし、それよって国民の自由や権利は抑圧される。自由のない自主憲法よりは、自由のある押しつけ憲法の方がまだいい、と思った。最近は特にそう思う。ベアテさんに会ってから憲法に対する考え方が変わったように思う。

テンプル大学では、まずそんな話をした。そしてなぜ三島にひかれたか。なぜ右翼運動を長年やってきたのかを話した。学校に着いた時、真也氏から、「講演は英語でやりますか」と聞かれた。急にそんなことを言われても無理だよ。真也氏とトークをする中で、必要なところは英語で学生に言ってくれよと頼んだ。

アメリカはグローバリズムの国だと思っていたが、今は「アメリカ第一」でナショナリズムに突っ走っている。それをどう思うのか、僕の方からも聞いた。「私はアメリカを愛していません」と言う学生もいた。「じゃ、州を愛しているのか」と聞いたら、「州も愛していません。でも、私の住んでいるこの町は愛しています」と言う。これも「愛郷心」なのか。でも日本では、ちょっと言えない。いくら住んでいる町を愛していると言っても「日本が嫌いだ」といったら、それだけで「非国民め！」と言われたりする。この話は僕も関心があったので、学生と真面目に話し合った。

3月17日（土） 3時、紀伊國屋ホール。松元ヒロさんのライブを見にいく。感動的な舞台だった。

もう「お笑い芸人」ではないな、この人はと思った。とても勉強になった。

木村万里さんと会った。「昔、西新宿に『火の子』という文壇バーがあった。そのバーの写真をずっと撮っていた人の写真展を今、やっているのよ。ぜひ見に行ってみたら」と言われた。それで翌日、見に行った。

銀座一丁目のビルの地下にそのギャラリーはあった。ものすごい数の写真が貼られている。井上ひさし、大江健三郎など有名人が沢山いる。そんなに広くない所に多くの人が集まり、文学論、政治論を闘わせていた。「すごいですね。当時知っていたら僕も行ってみたかったですね。残念です」と言ったら、店の人が「あっ鈴木さんも来ていましたよ」と言って僕の写真の前に連れていってくれる。また驚いた。20年ほど前のことだ。でも誰に連れていってもらったのだろう。こんなすごい文壇バーに行って、ただ飲んで帰ってきたというだけなのか。随分とおとなしかったんだ。

3月20日（火）　片嶋監督の映画「いぬむこいり」は4時間の長い映画だが、全国でヒットし、東京での「凱旋《がいせん》上映」になった。それも恵比寿の写真美術館で1カ月だ。これは素晴らしい。映画のあと豪華なゲスト陣とのトークがある。この日は寺脇研さんと前川喜平さん（前文科省事務次官）のトークだ。これは聞きに行かなくちゃと思い申し込んだ。

1時から5時までが映画。そのあとがトークだ。僕は映画は3回ほど見てるし、トークだけを申し込んだ。ただ早く着いたので後半の20分を見た。凄い映画だ。迫力がある。

終わって寺脇さんに挨拶したら前川さんを紹介してくれた。「あれっ、初対面なの。今度対談してみたら」と言う。「ぜひお願いします」と言った。前川さんはとても話しやすい人で文科省のことや中学での講演会への文科省の「調査」について話してくれた。名古屋の中学に呼ばれて講演をした。そうしたら文科省が、「なぜクビになった人物を講演に呼んだんだ」「謝礼や交通費を払ったのか」「どんな話をしたんだ」と、まるっきり思想調査だ。それも、自民党の議員から言われたとのことだ。それで文科省としても「事実確認」のために問い合せたという。

前川さんとは、場所を移し、近くの居酒屋で本格的に話をした。「僕も名古屋の中学校で講演したんですが、どこからも文句言われませんでしたよ」と言った。2月24日名古屋の東海中学で講演したのだが…。「でも公安は調査してますよ」と寺脇さん。そこに「いぬむこいり」で主演した女優の有森也実さんがかけつけて酒席に加わってくれた。

3月23日（金） 前の日までは結構、動き回っていた。3月1日に病院に行ってから3週間だ。もう大丈夫だと思っていた。ところが、この日は寝床から起き上がれない。仕方ないので、寝ていた。今日は外出の用事はない、しっかり寝ておこうと思って二度寝した。午後4時頃、目がさめた。留守電やＦＡＸが随分と来ていた。忘れていたが、午前中に大事な打ち合わせがあったのだ。「大丈夫か？」「生きてるか？」と心配している。あわてて電話して、来週に変更してもらった。どうもこの日からまた病気をぶり返したようだ。

その日は夕方まで寝ていた。6時から元中国大使の丹羽さんの話を聞きに行く。とてもいい話だった。この人は、過去に読書の本も出している。元中国大使などの体験をし、世界のすごい人たちと会ってきた。とてもいい講演会だった。

3月24日（土） 今日は、「アリの街のマリア」が住んでいた「アリの街」で花見がある。ぜひ行こうと思っていたが、体が動かない。金縛りにあったように身動きができない。立ち上がれない。それで残念だが「アリの街」は断念した。「アリの街」のことはカメラマンの福田文昭さんが紹介してくれたのだ。これは日本人の「知られざる歴史」だ。「実は僕は小学校の時、学校で先生が皆を連れていってくれたのです」と言った。映画「アリの街のマリア」を見た。素晴らしい映画だった。ポロポロと涙を流しながら見ていた。

「アリの街」というのは浅草の廃品回収業の人たちの集落だ。貧困、病気が噴出している。ゼノ神父を頼って北原怜子さんはこの「アリの街」に入り、献身的な運動をする。もともと病弱だったのに無理が重なり、若くして亡くなる。ナイチンゲールのような人が日本にもいたのか、と感動した。

福田文昭さんには多くの人を紹介してもらった。3月18日には、北原怜子さんと6年間共に暮らした外側志津子さんの話も聞いた。今年88歳だというが、かくしゃくとしている。彼女も女学生で、その時、ゼノ神父、北原さんの行動に触発されて、「アリの街」へやってきたという。とても感動的な話だった。

講演が終わってから外側さんに言った。「僕は小学校の時に『アリの街のマリア』を見ました。学校で先生が皆を連れていってくれたんです」。「えっ、それはすごいね。どこの小学校ですか」と言う。「秋田県湯沢市の小学校です」と言った。「それはいい先生でしたね。今ならとてもできないでしょう」と言う。「全員を連れていくとは何事だ」「内容は偏向している」という声も出るだろう。

今度、機会があったら、あの映画を見てみたい。それにしても、昔は先生が「これはいい」と思ったら生徒をひきつれて映画を見せてくれた。今はこんなことはない。いろんなところに配慮してやめるのではないか。小学校で見た映画は他にも沢山あるし、皆、おぼえている。

第19回 生きて表現する

『創』18年7月号

石田純一さんと。5月21日

5月18日（金） 午前6時羽田発の飛行機で札幌に行く。午前10時から西区博善社で行われた姉の葬儀に行く。おとといの夕方には会って話し合ったばかりなのに、どうして…という気持ちが強い。姉は2017年3月から入院していた。食事をとれず点滴だけで頑張っていた。そして肺病だ。これは危ないと思い、何度か見舞いに行った。最近では5月15日、16日に行った。担当のお医者さんからも詳しい病状を聞いた。「86歳で、肺病ですから危ない状態です。今日、明日という状況ではないですが、低い状況で安定しています。でも会いたい人がいたら皆、連絡して下さい」と言う。急変はないし、低い状況で安定しているということで一応ホッとする。

2日間、いろんな話をした。姉はうなずきながら、じっと聞いていた。「じゃまた、来るから」と言って16日の夕方に別れた。それなのに……。翌17日の早朝、病状が急変し、亡くなったという。この日、通夜。そして18日に葬儀。僕はそこに駆けつけた。仙台の兄貴、山形の弟も来ていた。親類の人たちも大勢来ていた。葬儀の後、火葬場に行き、帰ってきて皆と夜まで話し合った。親族を代表し兄が挨拶した。「我々弟たちから見ても完璧な姉でした」。そうなんだ。こんな兄弟も珍しい。姉は12歳上だ。同じ干支《えと》だ。兄貴は９歳上。そして弟は２歳下だ。兄弟で喧嘩した記憶はない。年の離れた姉と兄だから、むしろ父母に近かった。兄は元商社の支店長でアメリカ生活が長い。英語も達者だ。定年後はロシアやヨーロッパなどに一人で旅行している。

姉は病弱で、主人と長男を亡くし、去年から入院していた。「完璧な姉」だったが、僕が一番迷惑をかけた。右派の学生運動に入って以来、警察も訪ねてきたようだ。兄や弟の所へも警察はよく来ていたという。皆に迷惑をかけて、と怒鳴りたいだろうが、姉は僕のことを随分と気にかけてくれた。何かあると我が家は放ったらかしにして僕のために駆けつけてくれた。

小学校３年の時は遠足に付きそいで来てくれた。だらしのない、弱い弟が心配だったのだろう。高校入試に失敗した時も、また高校３年で教師を殴り退学になった時も、駆けつけてきて何カ月もいた。ヤケになっている僕をなだめ、学校に連れていき、教会に連れていってくれた。懺悔《ざんげ》の生活を続け、おかげで半年後に、復学が認められ、卒業できた。その後、東京の予備校に通い、早大に合格できた。当時、東京にいた姉の家に下宿させてもらった。何から何まで姉に世話になった。心配をかけ、迷惑をかけ続けた弟だった。それなのに何もできなかった。申しわけないと思う。

姉の主人は東大を出て北電に勤めていた。東京支社から札幌の本社に移った。僕もいろんなことを教わった。「邦男君の性格からいったら早稲田がいいんじゃないの」と言われ、早稲田を受けた。これは正しかったと思う。全共闘と闘い、右派学生運動もやり、三島由紀夫にも会い、多くの仲間たちにも出会った。みんな姉のおかげだと思っている。

5月19日（土） 札幌から仙台に行く。高校の同窓会があるのだ。こんな時に同窓会に出るなんて…と思ったが、前々から決まっていたし、昔の学友と会える機会も他にない。それに退学になった僕も同窓生として呼んでくれる。それが嬉しい。僕は1回生だ。でも同窓会には40回生、50回生という若い人たちもいる。今年高校生になった人は60回生だという。じゃ僕らが高校に入ったのは60年前なのか。前世の記憶のようだ。

当時、仙台の高校は男女別だし、高校の格付けが厳然としてあった。男子は一高、二高、女子は一女高、二女高という県立校が「いい高校」で、あとは私立だ。女子は宮城、白百合…と、いい高校があったが男子はない。県立を落ちたら行く所がないのだ（今は立派な私立校がたくさんあるが）。そのため中学浪人がいた。国も県も、これはマズイと思い、「15の春を泣かせるな」と運動をし、私立高校をつくった。東北学院大付属の東北学院中・高校は中高一貫で、途中からは入れない。それで仙台郊外の榴ケ岡に独立した高校をつくった。それが我が母校だ。米軍のキャンプ跡を払い下げてもらい、高校にした。教会があるから都合が良かったのだろう。ミッションスクールだったが、宗教にひかれて入った人は誰もいない。皆、一高、二高を落ちた人ばかりだ。

「その悔しさを3年後に晴らせ！」と教師は復讐心をあおる。ラサールを初め全国にキリスト教の高校はあるが、宗教的な理由で入る人はあまりいない。東大に入りたくて行くのだ。高校だって、東大合格率の高さで生徒を集めている。榴ケ岡高校は3年後、東北大に何人入ったか、その結果で判断される。だから教師も生徒も必死だった。力を入れすぎるあまり、教師はよく生徒を殴った。「キリストの愛を説きながら暴力をふるうとは何事か」と僕は反発したが、「3年後の結果」を出すことが優先されたのだ。

高校2年の時（60年）、17歳の愛国党の山口二矢が社会党委員長の浅沼稲次郎を刺殺する事件があった。同じ17歳の少年がやったということで衝撃を受けた。別に感動したわけでもないし、賛同もしていない。「愛国心をつきつめると殺人になるのか」と漠然と思った。ミッションスクールにいたので「愛」が「殺人」になることに違和感を持ったのだろう。宗教が、殺人を許容する愛国心へのブロックになったのだろう。「死刑制度に反対する右翼なんてお前一人だよ」とよく言われたが、それも宗教があったからだと思う。四谷の教会で行われた死刑反対の集会でそのことを言ったら、「僕も東北学院出身です」と言う人がいた。日弁連の人で、死刑反対の決議書を出した人だ。いろんな意味で宗教は人権、平和などを考える指針になっていると思った。

ところが高校時代は、今のように考えられなかった。高校に反発していた。そして高校3年の卒業間際に事件を起こす。がまんできないことがあり、教師を殴る。即、退学になった。こんな学校やめてやる！と思ったが、姉が飛んできて、なだめられた。姉が止めてくれなかったらどうなっていただろうか。

姉のおかげで、復学がかない、早大にも入れた。学生運動をやり、いい仲間、いい敵にも出会った。

一度は退学になったものの、今は同窓会にも呼んでもらえる。1回生は出席者がたったの4名だった。1回生は150人くらいいたはずなのに。「皆、死に絶えたんじゃないの」「絶滅危惧種だよ」と答えた人もいた。

「邦男は良かったよな。学校に戻れたたし」と同じ1回生に言われた。彼は一度、停学になっている。

タバコをすったからだ。でも、停学で済んだのでよかった。そうだ、タバコで思い出した。学校では突然、服装検査や荷物検査をやる。ある生徒のカバンからタバコが発見された。一発で停学か退学だ。見つかった生徒は、「あっ困った。あの先輩だ!」と呟いた。学校に来る前、先輩と会った時、勝手にカバンにタバコを入れられたのだと言う。

「じゃ、その人の電話番号を教えろ」と言って、教師がその先輩に電話をした。

先輩も驚いた。学校の先生から電話が来るなんてない。自分の後輩が通ってる高校で、荷物検査を勝手にやり、厳しい学校だと聞いていた。それでピンと来た。そして電話を通し言った。「すみません私が悪いんです。いたずら心でやったんですが、申しわけありませんでした」と。「タバコは私が勝手に入れました。彼は何もしていません」

すごい。それで後輩の疑惑は晴れた。この先輩が機転をきかせてくれたからだ。

5月21日(月) 夕方6時から中目黒に。焼き肉チェーン「虎の穴」の辛会長の所へ。勉強会の講師として出る。辛さんには経営塾で会った。「うちでも勉強会をやっているので話して下さい」と言われていたのだ。食事をしながらの勉強会だ。最初の出席者は俳優の石田純一さんだった。「鈴木さんの話をぜひ聞きたいと思ったので」と言う。石田さんは「不倫は文化だ」と言い、その言葉で有名になった。不倫は小説になり、映画になり、音楽になっている。いや、そんな不倫は多い。

逆に純粋な「健康的愛」「純粋恋愛小説」には文化がない。文化的ひろがりがない。いや、そういうのが多い。石田さんは僕の本も読んでいるし、日本文化論、国際情勢についても話してくれた。石田さん、辛さんともに出席者の人たちも皆、よく勉強をしている。驚いた。

5月22日（火）　午後7時、阿佐ヶ谷スペースプロットで「プロヴァンスの庭で」を見る。出演者の大久保鷹さんの招待だ。この芝居は「構成・演出」が山崎哲さんだった。山崎さんも来ていたので終わってから話した。久しぶりだ。オウム事件の時によくテレビに出ていた。少し難解な芝居だった。バレエや絶叫、そして朗読劇があり、爆発がある。これは芝居の「革命」ではないのか。そう言ったら山崎さんも鷹さんもうなずいていた。

5月23日（水）　午後6時。グランドアーク半蔵門4階、富士東の間。「創刊250号『月刊日本』を叱咤激励する会」に参加する。大きな部屋が満員だった。22年も続けてきたのだ。石井苗子さん、亀井静香さん、ペマ・ギャルポさん、村上正邦さんなどに久しぶりに会った。編集長以下の若い編集者たちの紹介・挨拶もあった。皆、ハッキリとものを言うし、自分の考えを持っている。まるで政党のようだ、と言ったら『月刊日本』では毎週のように新橋で街頭演説をやっている。それで皆、喋れるし政党のように見えるんですと言う。なるほど、書くだけでなく、耳に訴えて、多くの人に聞いてもらおうとしている。『月刊日本』は今まで保守の雑誌かと思ってたら、最近は、ガフリと変わった編集をしていた。左右を超えた視点から出発している。頑張ってほしい。

5月26日（土）　午後6時、ＴＢＳ赤坂ＡＣＴシアターで「志の輔らくご」を聞く。すばらしい。「大忠臣蔵」と「中村仲蔵」を語る。これは落語の革命だ。落語と言いながらお笑いはないし、志の輔さんの構想力と話芸だけで聞かせる。「これも落語って言うんですかね。でも講談ではないし、すばらしいです」と、終わって志の輔さんと話をした。「こういう大きな会場では並の落語はできません」と言う。勉強家だし、研究熱心なんだ。

第20回
僕もデビューは『情況』だ

『創』18年8月号

木村三浩代表（左）、亀井静香さんと

6月17日（日） 午後3時から神田の学士会館。大下敦史ゆかりの集い（追悼！・記念講演・懇親会）。大下さんは『情況』の前編集長だった。この『情況』と時代の変遷、そして大下さんの関係について案内状にはこう書かれていた。

〈前・情況出版代表の大下敦史が逝ってから6カ月が経ちました。彼は『情況』誌を引き継いでから約20年、激しい活字離れ、出版業界の中で、また論理の急速な右傾化の中で、いわば孤高を保って『情況』を守り組織を続けてきました。新自由主義が跋扈《ばっこ》し、思潮においても、現実の運動においても、『情況』が出発した〝68年〟当時と様変わりし、〝体制変革〟志向の衰退する中で、松明《たいまつ》を掲げ、知識人、運動家の輪をつないできました。そして、リーマンショックと２０１１年以降の世界同時の新たな運動の波の中で、『情況』を通してそれを解析し、また運動の輪を広げるチャレンジをしてきました。その途上の死でした。残念であっただろうと思います〉

この時代の変化と『情況』の置かれた立場、そして大下さんの役割がよく表されている。大変な時代に立ち合い、でも逃げずに闘ったのだ。この日、挨拶した人、メッセージを寄せた人の文を読んでも大下さんの人間としての大きさ、不屈の闘志が見えてくる。左翼運動家にありがちな狡《ずる》さが全くない。運動のためなら他人を利用するのは当然だ、といった思い上がりもない。左だけでなく、右だって「運動家」の狡さ、思い上がりは必ずあるが、大下さんには全くなかった。その点は僕も付き合っていて驚いたことだ。

この日の呼びかけ人代表は次の人々だった。山本義隆、白井聡、新開純也、米田隆介、表三郎、末井幸作、山中幸男。そして山本義隆さんと白井聡さんが記念講演をした。山本さんは元東大全共闘議長で、その当時の話から始めた。白井聡さんは最近『国体論』などを書き、若手保守派のホープだ。でも右、左にとらわれない。それにしても最左翼の『情況』の記念講演とは、と思った。白井さんに直接聞いてみた。左右の線引きにはとらわれないと言う。それに、「だって僕のデビューは『情況』でしたから」と言う。あっ、そうだったのか。そして思い出した。「僕も同じだ。僕もデビューは『情況』でした」と言った。

単行本のデビューは『腹腹時計と〈狼〉』（三一書房）だ。しかし、その前に『情況』に頼まれて原稿を書いた。書店に並ぶ一般の雑誌に書いたのは、これが生まれて初めてだ。だから僕も「デビューは『情況』だ」とも言える。１９７０年から74年まで産経新聞に勤めていて、そこを辞めて半年後に『腹腹時計と〈狼〉』を出した。だから『情況』に書いたのは産経を辞めた直後だったと思う。もしかしたら、まだ勤務中に原稿を出していたのかもしれない。

大下さんの追悼集会では、いろんな人の挨拶があり、終わってからは、ちょっと歩いて「祭」という居酒屋で懇親会が開かれた。あれっ、ここは前に来たことがあるよな、と思い出した。2カ月ほど前に二木啓孝さんに呼ばれて、明大OBの勉強会に行った。OBというが要は学生運動のOBだった。そこで右側の人間を呼んで当時を思い出し議論しようということだった。その時、店のマスターから「鈴木さん、うちの姪《めい》が今度本を出したんです。読んでください」と一冊の本を渡された。「えっ姪子さんが新聞記者なんですか。それはすごいですね」と言って、もらった。それが望月衣塑子さんの『新聞記者』だった。今、最も輝いている人じゃないか。その2日後に、当の望月さんと対談する機会があり、「おじさんに会いましたよ」と言ったら驚いていた。その店でまた、集まったのだ。この日の懇親会でもその話をした。

6月18日（月） 午後3時に一水会の木村三浩代表と四谷三丁目で待ち合わせて、亀井静香さんの事務所に行く。9階建てのビルだ。「あれっ、前に来たかな?」と言ったら「日本赤軍のことでお願いに来たじゃないですか」と言われた。そうか、丸岡修さんだ。日本赤軍の活動家だったが、逮捕され日本で裁判を受けた。縁があって知り合い、何度か刑務所に面会に行った。赤軍の闘士だが、精神的にはかなり右翼的な人で、僕よりも右翼じゃないかと思えるほどだった。彼が外にいて、オルグされてたら僕など一発で入っただろう。気分もサッパリしていて、好きになった。ところが病気となり、危篤になった。刑務所の中だけでは助からない。外の病院でみてもらわなくてはダメだ。治ったらまた、刑務所に戻せばいい。そういう制度もある。それでやってもらおうと思ったが、うまくいかない。左翼の人が左翼の人脈から手を回したがダメだ。「鈴木、お前は右の方や体制側に手を回せるだろう。だからやってくれ」と頼まれ、いろいろ調べて亀井さんの所へ行ったのだ。とても話がつくとは思ってもいないが、ともかく当たって砕けろだ、と思って行ったのだった。

「その人は思想を持っている人だから助けようとするんじゃないよな。思想があろうとなかろうと、人間として生命が大切だから助けようとしてるんだよな」と念を押された。その通りだ。実際、僕は右翼出身だが、丸岡さんは左翼の革命家だ。思想の問題ではない。その辺をじっくりと説明した。亀井さんは「よし分かった。じゃ、話してみよう」と言って、法務省の担当の役人に電話をした。刑務所の担当の人らしい。そして克明に説明し、「だから頼む。一回外に出して病院でみてもらってくれ」と言う。担当者も了承したようだ。まさかそんな展開になろうとは思ってもいないのでただ驚いていた。亀井さんは凄いな。ありがたいな、と思った。そして、どっと涙があふれてきた。あぁ、これで丸岡さんは助かる、と思った。今までの人生で一番感動した瞬間だった。

そのまま行ったら丸岡さんは助かったと思う。支援する左翼の人たちも大喜びだった。ところが、すぐ手続きをすればいいのに、組織の都合だとか作戦だとか言い出して、それが延びた。その間に丸岡さんの病状は急変し亡くなってしまった。何とも残念だ。あれだけ亀井さんがやってくれたのに。

こちら側のそんな不手際で申し訳ありませんと亀井さんには謝った。亀井さんには今後の日朝問題の話などについても聞いた。初めは亀井さんが北朝鮮に行くと言っていた。ぜひ行ってほしいと思ったが、首相が行くことになり、亀井さんの話はなくなった。拉致の交渉もうまくいかないが、安倍さんはどうもアメリカの顔色ばかりをうかがっている。自主外交をすべきだろう、という話になった。

亀井さんの所で３時間以上も長居してしまった。あわてて、礼を言って外に出た。「そうだ、六本木で初沢亜利さんが写真展をやっているんですよ」と木村氏が言う。「じゃ、行ってみようよ」と僕も言い、タクシーで行く。俳優座の横の展示場でやっていた。北朝鮮の写真が中心で、その他、沖縄などの写真もある。僕は10年以上前に木村氏とイラクに行った時に初沢さんと知り合った。優秀なカメラマンで、特に北朝鮮の写真集『隣人』は評判を呼んでいる。一般の人々や町の人々、女性警察官、店員さんなどの生き生きとした表情を撮っている。一般の人や兵士たちにカメラを向けることは厳しく禁止されているのだ。初沢さんは特別なのか。よく撮ったものだと思う。

6月22日（金） 午後6時から新宿花園神社に行く。唐十郎のテントで「ユニコン物語」を見る。テント小屋は久しぶりだ。学生時代はよく見たが、その後ずっと見ていなかった。唐十郎作、金守珍演出。金さんは覚えていてくれて、挨拶された。主演は大鶴義丹、それに大久保鷹。うまい、良かった。「30年前の初演の時に父が演った役を今は僕がやっています」と大鶴さんは言っていた。芝居は、舞台中央の後ろの幕をあけると、そこは外だ。通路があり、坂がある。そこからバイクや車が舞台に入ってくる。あっ、昔も見たな、と思い出した。カーテンをあけると機動隊がズラリと並んでいる。踏み込む寸前だったのか。緊迫した空気が漂っていた。そんな昔を思い出しながら見た。

芝居が終わって帰ろうとしたら、金さんや大久保さんに呼びとめられて、飲み会に付き合った。「テント興行」ってなかなかいいですねという話になった。昔は客がゴザの上につめ込まれて見たような気がするが、今はちゃんとイスもあるし、通路も立派だ。幕をあけると外の世界とつながるし、大きな舞台で芝居ができる。

当日配られたパンフレットを見たら、「新宿梁山泊63回公演」と出ていた。75年にやった時は根津甚八と李礼仙だった。主人公がユニコン（一角獣）になぞらえた古自転車がラストシーン、幕をはねあげたテントの外の闇の中を旋回する巨大なユニコン＝パワーシャベルに変身するのだ。こうした仕掛けも含めて、この劇団の芝居はやはり演劇構造として強固なものを構えている。芝居の無限の進歩を感じさせる。

月蝕歌劇団の高取英さんも来ていた。今の演劇は全部、寺山修司、唐十郎の流れをくんでいるように見える。他に作家、演出家はいなかったのだろうか。唐組、新宿梁山泊、さらには月蝕歌劇団、劇団再生…とこの流れだ。僕自身、中野区上高田一丁目に住んでいるが、同じ上高田の近くのマンションの地下に新宿梁山泊の拠点がある。そこで芝居もやっていて、時々見に行っている。テントほど派手な演出はできないが面白いものをやっている。また、寺山修司記念館には去年行ってきた。青森から、かなり遠かったし、田舎だった。でも設備が立派なのには驚いた。寺山の本も学生の頃から随分と読んでいるし、映画も見ている。当時の学生は皆、そうだったと思う。寺山で学び、寺山で大きくなったようなものだ。去年、寺山記念館に来た時に、太宰治の記念館にも足をのばした。ここも立派だった。寺山にしろ太宰にしろ、青森の人たちに愛されているんだな、と感じた。太宰の家は大地主で、小作人の反乱を恐れて警察署を隣に移転させたという。すごい話だ。

また、太宰のオーバーがあって、自由に着てもいいとあり、着てみた。大きい。何でも180センチあったという。当時としては大男だ。イメージとは違う。そうだ、数年前は青森の「キリストまつり」に行った。キリストが十字架にかけられ日本に亡命し、日本には今も、日本で死んだという伝説がある。それで追悼祭を毎年やっていた。ピラミッドもあった。面白い。だから寺山や太宰のように面白い人も沢山出るのだろう。

第21回

オウム全員死刑執行

『創』18年9月号

「和歌山カレー事件」集会にて
森達也氏と。7月21日

7月6日（金） 岡山一水会で「レコンキスタ読者の集い」をやるので来てくれと言われ、昼の新幹線に乗る。しかし暴風雨で、「会は中止しました」と現地の番家氏が言う。そこに一水会代表の木村氏も着く。「東京から2人も来たんだし、残った人だけでやろう」と言った。木村氏は一水会の歴史について、僕は「愛国心と改憲」について話し、自由討論。一水会ができたのは1972年で、その直後から地方支部ができて、一番目が岡山だった。ここは大学生たちが中心で勉強会をやったり、街宣をしたり、空港反対闘争をしたり、活発に闘っていた。この日は遅くまで地元の人たちと話し合った。

オウム麻原たちの死刑執行についても話をした。麻原死刑囚をはじめ幹部が今日、死刑を執行された。僕らはいろんな人たちと連絡をとり、麻原の死刑を考える集いをやっていた。このまま麻原が口を開かず、オウムが処刑されると、その原因、真実が伝わらない。麻原は体が悪くて、話もできない。自分が今どこにいるかも分からない。精神科医に診せて、話せるものならキチンと話してから、裁判をやり、麻原の証言を取るべきだろう。でも日本はそんな麻原でも「国民感情が納得しないから」と死刑を決行した。精神的な故障がある場合は死刑を執行できないはずだが、それでは国民が納得しないという理屈だ。

サリン事件を含め、多くの謎が残ったままだ。麻原の三女も言っていたが、本当は麻原はサリン事件を命じてないという人もいる。省庁制度というものを作り、文部省、外務省というものを作り、責任者を置いた。麻原たちがインドのダラム・サラにあるチベット亡命政府を訪れた時に見て、これはいいと自分たちでも取り入れた制度だ。僕も麻原が行く５年ほど前、チベット独立運動をやっていたペマ・ギャルポさんに案内をしてもらい、右翼の人たち10人ほどで行ったことがある。ダライ・ラマさんは我々にも分かるやさしい英語で話してくれた。それで草むしりをしていたおじいさんを呼んで「この人が防衛大臣です」「文部大臣です」と紹介してくれた。自分たちがチベットに戻り、政権に復帰したら、その人たちが大臣になるのだ。ちょっと変だな、と思ったが、麻原たちはその後も行って「これはいい」と思って採用した。

それ以来、「各大臣」がどんどん発言し、行動の提言をするようになったという。サリン事件もその中で行ったという。もし昔ながらの麻原独裁の宗教だったら、絶対にサリン事件は起こってない、と三女は言う。父親思いの妄想とばかりは言えない。ともかく果たして本当だったのか、分からない。田原総一朗さんは、麻原は自分の超能力を使って自分を精神的に殺したのだと言っていた。誰と会っても分からないし、肉親でも分からない。もし、精神科医にかかって病気が治ったらどうなる。自分のおかれた厳しい状況を理解し、「死刑は免れない」と思うだろう。そして、他の人間は助けたいと思うはずだ。サリン事件については全く知らなかったとしても、「それは全て自分が考え、計画、命令したことだ。私だけを死刑にしろ、他は助けてくれ」と言うのではないか。そう言う人もいる。これはありうる話だ。でもそうなったら、麻原が「殉教者」「聖者」となってしまう。それを避けたいと思い、精神科医に見せず、精神的におかしいままで殺したのではないか。大いにありうる話だと思う。

7月7日（土） 昨夜に遅くまで地元の人たちと話し合い、岡山に泊まった。今日は函館で唐牛健太郎さんの墓前祭がある。全共闘の人たちは同じ年代だから大学でも討論したり、喧嘩もした。でも60年安保の全学連の人たちは時代も違うし、という感じを持つ。「敵」「味方」という感じはない。あの時代、日本のために闘ったナショナリストだ、という感じを持つ。だから唐牛さんにも初めて会った時から尊敬の念を持っていた。一水会の勉強会にも来てくれたし、一緒に酒も飲んだ。「右翼の勉強会で喋ったのは初めてだよ」と言っていた。「自分が闘った運動は壮大なゼロだった」「うまい酒を飲みたかっただけだよ」と言っていた。運動のことや人生のことなどいろいろと教えてもらった。そんなことから毎年、7月には墓前祭に来ている。60年安保の全学連の人たちが多い。終わって市内で懇親会をやる。多くの人たちが参加した。唐牛さんの甥《おい》子さんも来ていた。僕は初めてだった。遅くまで酒をのみ、そのあと函館山の展望台にタクシーで行った。いつもはすばらしい夜景が見えるのに、この日は霧で見えない。こんな日もあるんだ。

7月15日（日） 名古屋に行く。「愛知サマーセミナー」に出るためだ。これはもう30年も続いている日本一のビッグイベントだ。僕は5年前に初めて呼ばれて話をした。大学をいくつか借り上げて会場にし、全国から発言し、行動している学者、作家、タレント、スポーツ選手を呼んで話してもらう。

4日間だが、総計で6万人もの人が聴きにくる。これは名古屋でしかできない。大したものだ。

5年前に来た時は、キャンパスを歩いていたら元沖縄県知事の大田さんがいて、思わず声をかけた。「僕は右でも左でもありません。一介のナショナリストです」と言う。そして「鈴木さんの本も読んでいます」と言ってくれた。懇親会に来てくれと言われて、一緒にお酒を飲んだ。感激した。

今年は、「愛国心について＝日本の歴史から」という題で話してくれと言われた。引き受けた。「愛国心」について1時間話した。社会人が多いが、大学生、高校生、中学生もいる。愛知県下の全高校生、それに全家庭にこのサマーセミナーの案内状を配布しているそうだ。それでこれだけ多くの人たちが集まるのだ。5年前に来た時も、皆、一緒に学生運動をした仲間が夫婦で来てくれたのは嬉しかった。

1時間話し、その後で30分、質疑応答だ。高校生が中心に質問する。少し休み、その後は懇親会に出る。とても勉強になった。

7月21日（土）　朝の新幹線で大阪に行く。日弁連会館で開かれた「和歌山カレー事件」の集会に出る。森達也さんが講演し、そのあと林健治さんと対談。そして僕と対談。司会は寅次郎君。健治さんもズバズバと発言してくれたし、とてもよかった。息子さんも来てくれた。「初めまして」と言ったら、「何回も会ってますよ」と言われた。忘れていたのか。息子さんはしっかりしてると思った。

7月26日（木）　駅で夕刊紙を買ってビックリした。「オウム13人全員死刑執行」「残る6確定囚も執行」と出ていた。昔だったら「ジェノサイト（大虐殺）か！」と非難されるところだろう。でも今回は、「法務大臣はよくやった。勇気がある」という激励の言葉、エールがあったと言う。いやな時代になったものだ。

第22回
「日本らしさ」とは

『創』18年10月号

立川志の輔さんと

8月1日（水）　午後6時から下北沢の本多劇場に行く。立川志の輔さんの落語を聞く。落語といっても「笑い」は全くない。三遊亭円朝作の「牡丹灯籠」だ。この季節、ここで毎年やっている。話芸と構想力だけで聞かせる。落語家というよりも「噺家《はなしか》」の迫力だ。凄い人だと思う。終わって楽屋に訪ねて話した。「落語といいながら『笑い』もないしオチもない。これでも落語なんですか」と聞いた。「落語家がやれば落語だし、講談師がやれば講談なんです」と言う。志の輔さんは今、最も突出している落語家だ。そして大変な勉強家だ。常にさらに上を目指して挑戦している。志の輔さんと同じ時代に生き、こうして同じ噺を聞けるのは大きな幸せだと思う。

8月3日（金）　午後7時から新宿西口で街宣。田中正道さんや「みちばた興行」の人たちが主催だ。演説だけでなく、歌や踊りもあるし、それで人もグンと集まる。面白い趣向だ。僕らが若い時にはこんな街宣はなかった。「歌や踊りなんて不純だ。まじめに政治主張だけを話せばいい」と思っていた。

8月4日（土）　朝9時に河合塾コスモに行き、生徒を引率して学習院大学へ。学習院大のオープンキャンパスなので見学に行ったのだ。大学の説明を聞き、入学試験のやり方を聞く。学食で食事をして、それから阿佐ヶ谷ロフトへ。午後1時から僕の「生誕祭」だ。こういうと自分が浮かれてやりたがっているようだが、違う。「鈴木君、君の生誕祭をやろう。いやなら生前葬だ」と塩見孝也さんに言われ、仕方なく始めたのだ。塩見さんは元赤軍派議長。「何でもいいから人が集まるイベントをやろう」と人民をアジったのだ。だから初めの4～5年は政治的色彩が強かった。赤軍派、よど号、連合赤軍…と関係者が集まり、議論した。それから芸能人やタレントなども呼び、脱政治的な色彩が強くなった。その塩見さんも亡くなり、今や編集者の椎野礼仁さんが仕切っている。政治、宗教、芸能、いろんな人たちが集まっている。

今年は2部制で、第1部は白井聡さんと飛松五男さん。第2部は蓮池透さんと初沢亜利さんだ。そしてPANTAさんなどが飛び入りした。

白井さんは今の若手の中では最も優秀な学者で、日米関係について語った。飛松さんは元兵庫県警刑事で、警察問題についてズバズバと発言する。「未解決事件の半分以上は現職警官が犯人だ」などと言う。また「警察官の人数は半分でいい。その方が、必死になり、逮捕率も上がる」と言う。なぜ冤罪が起きるか、どうしたら巻き込まれないか、などについても詳しく話した。僕は10年ちょっと前、大阪のTV番組「たかじんのそこまで言って委員会」で知り合った。話は面白いし、元警察官とは思えないキャラクターだった。それで意気投合し、以来10年以上、お付き合いをしている。

第2部は初沢さんと蓮池さんだ。蓮池さんは拉致問題についてよく発言している。初沢さんは写真家で、イラク、沖縄、北朝鮮の写真集を出している。特に北朝鮮の写真集、これは驚きだ。よく撮れたと思う。デパートの女店員や婦人警官もいる。普通ならこんな一般人にカメラを向けることはできない。また兵士たちにカメラを向けることもできない。そう思われていたし、我々が北に行っても、そういうふうに規制する。でも初沢さんは、兵士の日常生活を撮り、中には男の兵士同士が手をつないでいる写真もある。これはいったい、なんだろう。向こう側の了承をとったのか、瞬間的に撮ったのか。今しか撮れない北の風景がある。ここまでならいいかなあと、上層部の判断も変わったのかもしれない。ともかく大きな変化が始まっている。蓮池さんは、この写真集を、北朝鮮に拉致されて24年間、向こうでの生活を余儀なくされた弟の蓮池薫さんに見せた。嫌がられるかと思ったら、一枚一枚食い入るように見て、その変化をいちいち指摘してくれたそうだ。

8月8日（水）　一水会フォーラムに行く。いつもは政治的な人が講師として多いが、この日は違う。北川正人さんだ。千代田化工建設株式会社の元社長だ。講演は何種類かの世界地図を見せ、地図によって世界の見方が全く違って見えることを説明する。一水会フォーラムは何百回と続いているが、内容的にはベストワンだったと思う。毎月、来てもらいたいと思った。

8月10日（金）　御手洗志帆さんが毎年8月に、「新藤兼人平和映画祭」を主催している。池袋の文芸坐だ。新藤兼人監督が亡くなった時からやっている。新藤さんは2012年に百歳で亡くなった。戦争を厳しく批判して、反対する映画を次々と撮った。それらの作品を上映し、さらに新藤監督を尊敬する映画人を呼んで、立花珠樹さん（共同通信社編集委員）にトークしてもらう。ゲストに呼んだ監督の映画も上映し、2人（時には3人）でトークする。そういう豪華な企画だ。今年のテーマは〈平和を祈る女性たち〜映画が伝えた原爆・引揚げ〜〉。

この日は、50年前の『キューポラのある街』と滝田洋二郎監督の『北の桜守』だ。ゲストが吉永小百合さん。これはぜひ見なくてはいけないと思った。50年前のあの頃、北へ帰る人のことは何も知らなかった。まったく私の知らない話だった。いま見ても、いい映画だと思った。トークの吉永さんもとてもよかった。

8月11日（土）　この日も文芸坐に行った。山田洋次監督がゲストと聞いて、ぜひ会いたいと思ったのだ。山田監督は『男はつらいよ』で有名だが、この日は『母と暮せば』を上映。二宮和也さんが演ずる医学生の息子を原爆で失った母を、吉永小百合さんが演じていた。トークが終わって、「山田監督をご紹介します」と御手洗さんに言われて、感動の対面となった。その時「寅さんの作品は全部見てます。北朝鮮でもものすごい人気です。私も北朝鮮に4回行ったのですが……」。そうしたら山田監督が「私も北朝鮮に行ったことがあって、大歓迎を受けました。金正日のトップをはじめ北の人たちにはお友達がいますよ」という。北の人たちは寅さんの映画で日本の風俗とかを勉強しているらしい。金3代はみんな見ているという。幹部の一人が「これは人民に見せるべきだ」と進言したところ、首領様が少し考えて、「それはいいけれど、みんな働かなくなったらまずい」と言ったそうだ。

それから北朝鮮と中国は寅さんに対する考え方が違っていて、寅さんの〝無償の行為〟がわかるのは、日本と朝鮮民族だけだという。中国でいうと、そんなに働いていくら貰ったのかとか、結果はどうなったのかと聞く。中国はもうアメリカ的で資本主義的だという。だから寅さんはこれからの日朝の懸け橋になる可能性は十分ある。僕はそう思う。

8月22日（水）　午後5時から河合塾コスモで、英語の吉田剛先生と「合同ゼミ」。夏休み中だし、人も集まらないだろうと思ったが、30人以上も集まった。テーマは〈死刑〉だ。麻原彰晃等が一挙に処刑されたこと。「殺人」と日本の「死刑」を考えてみるという企画だ。予備校でこういう企画をやるのはかなり冒険だ。でも関心ある人が多く集まって、話も盛り上がった。

8月23日（木） 立川談之助さんの落語を聞きに行く。久しぶりだ。談之助さんは「禁演落語」を話すシリーズを続けている。戦争中、女や遊郭などが出てくる演目は、演ずるのを禁止された。というか、落語家自らが、時勢におもねって自粛した。そんなものを禁止したからといって、軍人たちがそういう場所に行かなかったかというと、そんなことはなかった。噺は禁止しても、軍人たちの行動は変わらない。今の時代と同じだ。

8月24日（金） 午後6時、文京区民センター3-A会議室。「死刑執行に抗議し、オウム事件についてもう一度考える」集会。満員だった。主催は「オウム事件真相究明の会」。『創』の篠田さんの司会。聴衆も多かったが、発言者の内容もすごい。いい話を聞いた。第1部は講演とトーク。まず森達也さんが「真相究明の機会が失われた」という話をし、そして松本元死刑囚に面会した精神科医の野田正彰さんと二木啓孝さんが対談。次に松本サリン事件で当初は容疑者扱いされた河野義行さんと浅野健一さんが対談。どれも深く考えさせられた。

休憩の後、第2部。雨宮処凛、下村健一、有田芳生、落合恵子ら各氏の話。この後の4人はビデオでメッセージ。茂木健一郎、金平茂紀、堀潤、ＰＡＮＴＡ。そしてまた、本人の生出演で、鈴木邦男、山本直樹、坂手洋二、安岡卓治、吉岡忍らが挨拶した。僕は麻原の病気について話をした。麻原は自分が何をされているかわからないまま、死んでいったのではないか。サリン事件だって、麻原が指示したのではないと言う人もいるし、省庁制が悪かったという話も聞いた。権限を委譲したため、却って尊師への忠誠心から、覇を競ったという説だ。十分あり得る話だと思う。

僕はダライ・ラマに会いに、ヒマラヤの山の中のダラムサラという所に行ったことがある。ダライ・ラマは我々に村の中を案内してくれたが、ときどき道を歩いている人や、畑仕事をしている人を指さして、あの人は防衛大臣だとか、農林大臣だとか言う。いつかチベットを統治するときのための、いわば影の内閣だ。麻原を初めとするオウムの幹部も、ダライ・ラマに会っているから、同じ経験をしただろう。省庁制は、ダライ・ラマもやっているからと、あれがヒントになったのではないか。民主主義的な外形を作ったことが、悪い結果を招いた。そう思えてならない。

8月23日（木）　一日、時間が遡る。いやあ、参った。体が自分のものじゃないみたいだった。また、転んでしまったのだ。転倒と言った方がいいのか。ちょっと急いでいたら、急に体がついていけなくなって、見事に頭から転んだ。周りの人もびっくりしたようだが、どうしていいかわからないみたい。そのとき、小学生の高学年の男の子が寄ってきて、手を伸ばして起こしてくれた。いやぁ、すっかり小学生にお世話になってしまった。すぐ、お巡りさんも飛んできて「大丈夫ですか？　救急車を呼びましょうか?」という。いやそこまではと断った。リハビリ中で歩いていると説明したら、「でもまだふらついてるから、今は電車に乗った方がいいですね」という。そしたら、なんとその小学生が「じゃあ、僕の肩につかまってください」と言ってくれて、中野駅まで一緒に行ってくれた。

今年初めに倒れてから、病院で心電図やＭＲＩも撮った。特に問題はなかったので、リハビリとして歩くことにしている。万歩計も買った。

第23回
今年も大杉栄メモリアルへ行った

『創』18年11月号

9月11日、一水会フォーラム。田母神俊雄さん（中央）と

9月11日（火） 一水会フォーラムに行く。今月の講師は田母神俊雄さんで、演題は「弱体化し続ける日本をどうするか？」。田母神さんと初めて会ったのは10年前で、大阪のテレビ「たかじんのそこまで言って委員会」だった。その頃、田母神さんはマスコミからずいぶん叩かれていた。それで出てくるなり「皆に叩かれたので、背もこんなに縮んでしまいました」と言って、みんなを笑わせていた。こんな自虐ネタが得意で、都知事選に出て落選したこともある。その直後、ある作家の出版記念会に呼ばれて行ったら、田母神さんが来ていて「乾杯の音頭」を頼まれた。ここでも「都知事選でカンパイ（完敗）したのに、カンパイ（乾杯）の音頭というのはどうなんでしょう」とみんなを笑わせた。「完敗じゃないぞ！　健闘した！」「そうだ、そうだ」という声があがった。多分そんな声を待ったための自虐ネタだろうが、話は面白いし、挨拶のうまさは定評がある。

田母神さんは福島県郡山市の出身で、「僕も郡山です」と言ったら、喜んでくれた。そして郡山には田母神地区という所があり、有名だという。

「だから我が家には家訓があるんです」と言う。名家なんだ。「どんな家訓ですか？」と聞いたら、「酒と女は二合(二号)まで」と、平然として言う。思わず笑った。こういうジョークが実にうまい。

でもこの日の一水会ではジョークは抑制して、真面目に日本の防衛、日本の将来について語る。

田母神さんは自衛隊の幕僚長だったし、自国の防衛と国際関係については詳しい。日本はアメリカから巨額の戦闘機などを買わされているが、その飛行ソフトはアメリカしか分からない。防衛が筒抜けだ。これでは少しも自主防衛だとは言えない。「日米地位協定を見直さない限り、日本の自主防衛はない」と、話に力が入る。

とてもいい講演だった。今まで聞いた中では一番いい講演だったと思う。政治活動をしている人に向かって話すんだから、ジョークなど入れられない、という田母神さんの決意があったのだろう。

9月14日（金）　午後6時半から浦和駅東口のパルコの10階にあるコミセン（コミュニティセンター）の会議室。「日米地位協定」についての集会があった。最近、全国知事会が日米地位協定について改善を求める提言を、全会一致で出した。これを受けての勉強会だ。

田母神さんの講演といい、全国知事会の決議といい、急に日米地位協定が注目されだした。この不平等な点については、いろんな人が指摘していたが、知事会のようなところが決議したことは大きい。政治家でもいない。政党として決議したところもない。全国知事会は埼玉県知事の上田清司さんが会長で、8日に亡くなった翁長雄志沖縄県知事の「基地問題は一都道府県の問題ではない」との訴えを受け、2年近くの検討を経て、7月の全国知事会で全会一致で決議し、日米地位協定の根本的見直しを日本政府に提言した。

日米地位協定は日米安保条約に決められているものだ。だから日米安保粉砕とか叫びたいところだが、それをやらないで、日米地位協定の改善という言葉を使った。今の世界情勢の中でアメリカと事を構える必要はない。だから日米安保廃棄とか政治的なスローガンは必要ないと言う。

講師の一人、浅野目義英さん（埼玉県議会議員）からこの話を詳しく聞き、これはいいと思った。浅野目さんは上田知事のもとで、全国知事会の提言のベースをまとめた人だ。提言で、浅野目さんは温和な言葉を使っているが、僕はちょっと弱いと思った。でも、今の時代は相手を説得することが必要だと、詳しく解説してくれた。全国知事会はその姿勢で取り組み、日米地位協定改善という言葉を使ったのか。そうだ、この集会は「日米地位協定改善を求める47プロジェクト」という。だから全国知事会でも、全会一致でまとまったのだろう。これからの運動を考えるうえで、闘い方としてはいい方法ではないかと、僕は考え直した。浅野目さんに教えられた。とてもいい勉強会だった。

浅野目さんとは、僕は初対面だと思ったが、「JR東労組の集会ですぐ後ろにいました。他の所でもよく会ってます」と言う。最近、こんなことが多いので、困ってしまう。

2人目の講師は井筒高雄さん。元陸上自衛隊レンジャー隊員だ。ドイツやイタリアなどにも米軍基地はある。しかしそれらは、それぞれの国の基地の中にある。しかし日本は、アメリカの基地の中に、日本が組み込まれている。これでは自国の防衛にはならないという。

僕は3人目の講師で、政府は中国や北朝鮮、韓国に対しては露骨なスピーチをやるくせに、アメリカには何も言っていない。その点について、右翼の歴史を参照しながら話した。

3人それぞれの話が終わって、会場の人たちを含めて討論した。こうした問題について、じっくり話し合うというのはあまりないことだし、教えられた。

９月16日（日）　朝の新幹線で新潟に行き、そこから在来線に乗り換えて、新潟県新発田市に行った。杉山寅次郎や椎野レーニンさんと一緒だ。大正時代のアナーキスト、革命家として有名な大杉栄について考え偉業を振り返る催しが、毎年のように行われている。新発田で生まれ新発田で育った斎藤徹夫氏が主催して、もう10年以上になる。僕は前にも講師で出たこともあるし、講演を聞きに行ったこともある。

父親の仕事の関係で、全国を転々とした大杉だったが、新発田には10年住んだ。ただ長かっただけでなく、「新発田の空を思うと心が自由になれる」と言っている。大杉にとってはここが故郷だ。

今年は「言葉とうたで日本の近現代史を振り返る」というテーマで、新発田市生涯学習センターの小ホールで、午後１時から行われた。

第１部は栗原康さんの「米騒動から百年。大杉栄が見た大阪の米騒動」という題の講演。栗原さんは作家で、大学の講師もやっている。大杉栄、伊藤野枝、アナーキズムに関する著作も多い。ちょうど新潟でも上映が始まる瀬々敬久監督の『菊とギロチン』という映画のノベライゼーションも手掛けた。

この映画は、大正末期のアナーキストグループ「ギロチン社」の若者と、当時全国を興行して歩いた女相撲の一座の女性たちとの交錯する運命を描いた映画で、とても面白い。しかも土演の女相撲の少女を演じた木竜麻生さんは新発田の出身だという。僕も、パンフレットには文章を書いた。だから栗原さんの小説は、絶対読んでみようと思う。

講演は、大学に教えに行く以外は引きこもりのような自分の生活から話をはじめ、アナーキズムはよく無政府主義と訳されるがそれは間違いで、「支配されない生き方」のことだと進んでいく。知らないことが多く、面白かった。満員の観客の皆さんも、きっと満足したことだろう。

第2部は、絶叫歌人として有名な福島泰樹さんの短歌や詩の絶叫だ。いつもはピアノ伴奏で、ご自分の短歌、そして寺山修司や中原中也の短歌や詩を朗読・絶叫するのだが、この日は「ピアニストをここに入れてきました」と手でCDの形を作る。ボクシングの経験があり、僧侶もやっている人だけに、体の動きはシャープだし、朗々とした声の響きはすごい。とても僕と同い年とは思えない。感動的なパフォーマンスだった。

第3部は、その福島さんと僕の対談。聞けば、歳が同じだけじゃなくて、大学まで早稲田で一緒だった。学生時代は右と左で敵対していた。学内で殴りあったこともあったかもしれない。それが半世紀を過ぎた今、こうやって会っている。当時はそんなこと、想像もできなかった。

対談は、なぜ僕が大杉栄にひかれ、よくこのイベントに来ているのか、そして僕は政治活動に行き、福島さんはなぜ文学活動に行ったのか、そんな話も詳しく聞いた。

時間が来たので終わりかと思ったら、その後があった。新発田城のお濠と城郭が見える城址公園で、舞踏のパフォーマンスがあった。この場所がまたいい。大杉栄のイチョウの木という老木があり、その周辺で踊るのだ。実際、大杉栄は小さい頃、この木のまわりで遊んだという。

舞踏を行ったのは、新発田出身の堀川久子という舞踏家。スペインでも日本の舞踏を教えているらしく、一昨日、向こうから帰ってきたばかりだと言っていた。黒い衣装に身をかためて、顔は常に引き締めて、時に激しく、時にはゆっくりと全身で踊る。田中泯さんと一緒に活動していた時期もあるらしい。そういうイメージは確かにある。なんと福島さんも、彼女のそばで短歌絶叫で共演した。

さらにその後、駅近くの居酒屋で懇親会。新潟県だけでなく、山形や栃木など遠くから来た人も多く、ビックリした。大杉栄は、今もまた多くの人たちを魅了していたんだ。僕は竹中労を通して大杉栄を知り、学んだ。竹中については本も書いた。

この日は遅くなったので、駅前のビジネスホテルに泊まる。

9月17日（月）「大杉栄メモリアル２０１８」の主催者斎藤さんが、僕や福島泰樹さんを、地元のいろいろなところに案内してくれた。初めに、田宮高麿さんの実家の菩提寺に行ってお墓参りをした。田宮さんは１９７０年のよど号ハイジャック事件のリーダーだった。もともと柴田藩の家老だったかの家系で、お寺もお墓も立派なものだ。その後、田宮家の跡に案内された。なんとごく近くには、皇太子妃雅子様の実父小和田恆氏の住まいの跡地があって、今は駐車場になっていた。

新発田は歴史と文化、それも民度の高さを感じさせる町だ。

その典型が、吉原写真館の吉原悠博さんだ。写真館の6代目。新発田高校から芸大へ行き油絵をやった。ニューヨーク留学でナム・ジュン・パイクに会ったりと、略歴で紙幅が尽きる。

写真館を訪ねると、昔からここで写真を撮ってもらった家族の写真や、そして祖父が撮ったという大杉栄の10歳ころの写真も残っている。やんちゃそうで利発な目が印象的だ。かと思うと、やはり新発田出身のあの堀部安兵衛の手紙の写真があったり。写真館はその街の記憶装置。文化の凝縮されたところだと実感した。またこの吉原さんには、東京から新潟まで、送電線をずっとたどった写真作品もある。来年また、ゆっくり訪ねよう。そう思った。

第24回　村西とおる、若松孝二、上祐史浩

『創』18年12月号

村西とおるさんと女性たち

10月12日（金）　なかのZERO小ホールに行った。『M／村西とおる　狂熱の日々』の東京プレミアム&トーク、というのがあったからだ。強烈なドキュメンタリーだった。なにせ村西監督といえば、1980年代の、まだAVがやっと出てくる頃に、ポルノ映画の帝王と言われた人だ。本編にも出てくるが、片岡鶴太郎さんがテレビ番組で、ブリーフパンツにカメラを抱えて、「ナイスですねえ」とよくマネをしていた。ポルノと軽妙な語り口というのが、ポルノを見ない人にも受けた原因だった。とにかく有名人だった。でも、映画の中で本人が語っているが、「前科7犯」で「借金50億円」だったそうだ。そこから這い上がったんだ。すごいとしか言いようがない。

映画は1996年の夏に、北海道で撮った映画のリメークを作るために他の人が撮影していたフィルムを主に使っている。それに、監督や時代に関わった各界の有名人のインタビューが挟まれる。鶴太郎さんや、社会学者の宮台真司さん、経済学者の松原隆一郎さん（この人がスクリーンに現れた時はびっくりした）、漫画家の西原理恵子さん、お笑い芸人の玉袋筋太郎さん、高須クリニックの高須

院長等々だ。それから、これは当時のフィルムが使われたが、腋毛《わきげ》をさらした女優で有名になった黒木香さん。このインテリＡＶ女優（横浜国立大学でイタリア美術を専攻）をいっぺんに有名人にした『ＳＭぽいの好き』も、村西監督の作品だった。

監督は片嶋一貴さん。有森也実さん主演で、ＰＡＮＴＡさんも出た『いぬむこいり』の監督だ。その片嶋さんとも映画が終わって少し話したが、60時間もあったリメークフィルムを何回も見て、構想を練ったそうだ。今年の夏は、このために編集ルームに座りっぱなしだったとか。リメークのフィルムを再編集して映画に仕立て上げようというプランはずっとあって、片嶋さんの前にも試みられたそうだが、村西さん本人が気に入らなくて、作品にならなかった。そういう曰く因縁付きのものだ。片嶋監督、お疲れさまでした。

そういえば、この時は撮影はたった10日間だったが、なんと数本の作品に仕立て上げたのだという。そういうことが普通に行われていた時代だった。

映画が終わってステージに村西さんが現れたが、なんと言っても言葉がよかった。あの独特の「〜ございます」という猫なで声（失礼）で作品について語るのだが、丁寧に自分の映画についてしゃべる時、言葉を持ってるし、表現が違う。昔だったら、黒澤明が出てきて自分の映画について、あんなに言葉を尽くしたり、表現したりしないと思う。「映画を見てくれ」で終わりだろう。今の人たちは、作った映画を説明しないといけない、言葉で表現することが求められる。それだけ大変だ。その点、村西監督はうまい。そもそも映画に出て、その中でたくさん喋っている。そんな人はいない。

村西監督と会うのは初めてかと思ったら、「ロフトで何回も会ってますよ」と言われた。アフタートークのしょっぱなに「私が尊敬してやまない先輩が駆けつけてくれた」と村西監督が言う。誰だろうと思ったら、代々木忠さんだった。なるほど、一世代前のピンクフィルムの帝王だ。御年80歳になるというから驚きだ。花束交換が終わって、次に現れたのは、2人のグラビアアイドル。芥川賞作家の西村賢太さんも出た。女の子や西村さんに、村西監督が「何人とセックスしましたか？」と聞いたら、西村さんは「この前ざっと数えたら、700人。ただし素人の方は4人だけです。他の人とは全部お金を払って」と正直に（？）答えていた。

グラビアアイドルの子には「AVの仕事が来たら受けますか？」と質問して、女の子が「ええ、私でよければの話ですが」なんて、うまく切り返したつもりで返事をしたら、「そんな口ばっかりのこと言って」と村西さんに軽くいなされていた。

トークの後、マスコミ用の写真撮影の時間になったら、村西さんは女優のスカートをまくり上げてパンツに、それも中心部に一生懸命触っている。それも真剣にやっているから、そんなにいやらしくなかった。得な人だなとつくづく思った。

マスコミ取材が終わって、会場の終了時間が過ぎても、ZEROホールの前で、今度はファンとの写真撮影に応じていた。長い列ができたが、嫌な顔一つせず、親指を中指の間に挟む拳骨《げんこつ》を作って、「オ××コ」などと叫びながら、カメラに収まっていた。本当に懲りない人だ。

10月13日（土） 前の日は、遅くまで映画とトークに酔っていたが、翌日がまた大変だった。朝の9時に、この日から公開が始まった『止められるか、俺たちを』の初回上映のため、眠い目をこすりながら、テアトル新宿に行ったのだ。誘われた時、えーもう見たよ、と思ったのだが、よく似た名前の別の映画だったらしい。ややこしいことしてくれるなよ、まったく。

　誘ってくれたのは、滝沢蛇子とその連れ合いだ。蛇子は若松孝二監督の大ファンで、『11・25自決の日　三島由紀夫と若者たち』は30回以上見たというから、この映画の初日に朝1番から並ぶというのはよくわかるが、夫（どこかの工場長らしい）はいい迷惑だったのではないか。でも、それほど不機嫌そうでもなかった。惚れた弱みか。

　紹介順が前後したが、この映画は、若松孝二監督や足立正生さんなど、1960年代にピンク映画を量産した若松プロの、その時代のことを描いた劇映画だ。ドキュメンタリーではない。映画のチラシには、いくつものカッコいいキャッチコピーが並んでいる。

「これは監督白石和彌が、師匠若松孝二と、〝何者かになろうと夢みた〟すべての人へ送る、終わらない青春の1ページの記録だ」

「ここには映画と青春があった。でも私はなにをみつけたんだろう」

「1969年、若松プロダクション――こんなにも命懸けで、こんなにもバカで愛おしい時間が、本物の映画を作っていた」

　映画の主人公は、若松プロに助監督として入る女性。実在した人物らしい。ネタバレになるといけないからあまり書けないが。これを門脇麦さんが好演している。実にそれらしい（といっても本人を知らないが）存在感を出している。若松監督には会ったことがないそうだが、ぴったりだ。

　足立監督役、その他、知ってる人を演じている役者さんたちも、それらしく見える。外見が一番そっくりだったのは大島渚役の人だった。

初日の舞台挨拶があって、門脇さんは芝居の仕事があらかじめ決まっていたとかで来てなかったが、他の役者さんや監督、シナリオを書いた井上淳一さんたちが、舞台の右から左まで勢ぞろいした。

舞台挨拶で印象的だったのは、まず、若松孝二監督を演じた井浦新さんのこの言葉。

「若松作品にはずいぶん出演させていただいたが、まさか自分が若松さんを演じることになるとは思ってなかった」

考えてみれば、井浦さんは若松監督の映画で三島由紀夫をやって、この映画で若松孝二の役を演じているんだから、すごい。この映画では、井浦さんの演技に気迫が感じられて、その点で若松監督にとてもよく似ていたと思う。

シナリオを書いた井上さんは若松組の愛弟子だ。ワカちゃん、アッちゃん（足立正生さんのこと）と呼び合い、酒や女が絡みながら、「こんなのはただやってるのを撮ってるだけで、若松孝二の映画じゃない」と叫び出すやつもいれば、「とりあえずは金を稼いで、その後で撮りたいやつを撮るんだ」と言い返す男がいたり……時代と彼ら自身の「青の時代」がよく描かれていた。

井上さんは、こうも挨拶していた。

「この映画はレジェンドがたくさん出てくるが、決して彼らを描きたかったわけではない。現代にも通じる青春群像を描きたかった」

その意図は成功していたように思う。

10月18日（火） ロフトプラスワンで、光の輪の代表・上祐史浩さんとトークをした。題名はなんだか、おどろおどろしいのがついていた。

「激論！　オウム事件の最終総括と今後の行方、ポスト平成の思想」

上祐さんは、麻原彰晃と12人のオウム死刑囚の死刑が執行されて以降、初めての東京でのトークということで、ロフトプラスワンは、奥まった席まで、びっしり人で埋まっていた。司会・進行は、その日、客として見に来ていた椎野礼仁さんに急遽頼んだ。

話題はやはり、死刑執行になった。僕は、13人の死刑執行が行われそうだという時に、それに疑問を呈した「オウム事件　真相究明の会」の呼びかけ人の一人だった。呼びかけ人はたくさんいた。森達也さん、香山リカさん、雨宮処凛さん、田原総一朗さん、下村健一さん、落合恵子さん、山本直樹さん、ＰＡＮＴＡさん、坂手洋二さん、二木啓孝さんなどだ。

上祐さんは、死刑執行について、真相究明の会の主張する理屈もわかるが、と前置きして、かつてオウム真理教の信者で、いま脱会している身としての視点でと前置きして、僕らがまったく想像していないことを述べた。

つまり、かつて麻原は、自分だけが他人を殺すこと（ポア）が認められる存在で、他からは自分が殺されない、つまり死刑にならない存在だと明言していた。その視点から言うと、死刑が執行されないまま、麻原が生きていること自体が、今なお麻原を崇《あが》めるものにとっては、預言の履行と捉えられる。

だから、もし麻原の拘禁症や心神喪失が認定され、死刑を免れることになったとしたら、それは尊師の予言が当たっていることと解釈され、ますます帰依《きえ》を深める要因に利用される恐れが十二分にある。上祐さんはそう言ったのだ。そういう効果については、全く考えもしなかった。そのほか、示唆に富んだトークがいっぱいできた。

第25回
5日間の入院

『創』19年1月号

10月20日（土） 野村秋介さん追悼の第25回「群青忌」のため、牛込箪笥《たんす》区民ホールへ行く。野村さんが自決を遂げてからもう25年にもなるのか。あの日、突然のニュースを聞いて本当にびっくりした。あとから思うと、いろいろサインは出していたように思うが、気づけなかった。

野村さんの遺志を継ぐはずの僕らはどれほどのことができただろうか。式典では、スピーチした大原康夫さんや、主催した民族革新会議の犬塚博英議長も、同じようなことを話していた。

野村さんと朝日新聞との会見テープも流された。最後にピストル音もちゃんと入っている。何度聞いても胸が詰まる。生前の野村さんと切磋琢磨《せっさたくま》しあった大島渚さんや石原慎太郎さんのビデオメッセージも流れた。会場は満員で、野村さんへの追悼の気持ちを持つ人がこんなにもいることに感動した。

10月21日（日） 山中湖畔の「三島由紀夫文学館」へ行った。三島由紀夫を愛してやまない蛇子（瀧澤亜希子）さんの運転で、高木あさこさん達も一緒だ。僕は初めて行ったが、敷地も広いし建物も立派。三島の初版本や日記、そして生前の三島を偲《しの》ぶビデオなど、資料が充実していた。

三島由紀夫文学館で猪瀬直樹さんと（10月21日）

この日は、「『ペルソナ　三島由紀夫伝』で描きたかった三島由紀夫の素顔」という猪瀬直樹さんの講演があった。猪瀬さんが元気かと聞くので、足が不調と答えると、ジョギングをやりなさい、ゆっくりでいいからと言う。猪瀬さんは東京マラソンにも出場してるから、元気なのか。

館長の佐藤秀明さんとも話した。佐藤さんは近畿大学教授で、三島の本の解説なども多い。聞けば、この文学館は、当初、引き受け手がなかったそうだ。えー、と思ったが、要するに最期が響いているらしい。三島は自衛隊に乱入して自衛隊員の決起を促し、益田総監を人質に取り、割腹自殺を遂げた〝暴漢〟なのだ。世界的大作家の名声よりそれが勝るのか？　ともかくそういうわけで、自治体も尻込みする。そんな中で火中のクリを拾ったのが山梨県だった。結果的に、場所もいいし、よかったかもしれない。

10月27日（土）　富山市に行った。面白い体験をした。そもそもは、高卒認定予備校の歴史の講師をしている岩井さんが企画してくれた。いま彼は金沢に転勤になっている。そこで、彼がいるうちに、見聞を兼ねて北陸で勉強会をやろうということになった。１回目は金沢でやった。こちらに住んでいる学生運動時代の仲間も来てくれてうれしかった。今月は富山市だ。

富山市まで、新幹線だとあっという間につく。観光客が増えたというのもうなずける。富山駅で降りたら、元兵庫県警の飛松五男さんとばったり。今回も来てくれたのだ。岩井さんが予約してくれた駅前のレストランに入った。普通のレストランだったが、付け合わせに出た小鉢のホタルイカがうまかった。さすが日本海側だ。

富山市役所のてっぺんが展望台になっている。高さは70ｍだそうだ。３６０度周りがすべて見渡せる。山の方向には立山連峰が見えるはずだが、残念ながら雲がかかっている。でも反対側の能登半島は、海を挟んでボーっとだがわかる。ここでも飛松さんは人気者。「いつもテレビで見てます」と何組かの人が声をかけていく。

岩井さんが「せっかく飛松先生が見えているんだから、ちょっと変わったところへ行きましょう」と提案したのが交番だ。ただの交番じゃなくて、6月に元自衛官の男に襲撃され、警官が刺殺された事件の交番だ。犯人の男は警官の銃を奪い、近くの小学校の正門まで行って警備員に発砲。警備員は命を落とした。

そこへ出発しようとしたのだが、タクシーがなかなかつかまらない。結局、交番前まで行くには行ったが、時間がなくなって、一瞬、周りを見ただけで終わってしまった。飛松さんが交番を訪ねたらどんなことになったのか、興味深かったのに。

夜は勉強会。最初は岩井さんが「世界史」と「日英関係」のレポート。専門家なので、さすがに教えられることが多かった。そこから話はあっちこっちに飛んで、何故か最後は同和問題にまで話題に。打ち上げには、岩井さんの学校の先生も一人来て、おいしい酒を飲んだ。

10月28日（日） 富山合宿の2日目。まずガラス博物館に行った。〝富山の薬売り〟は有名だが、ガラス工芸の発達は薬の瓶《びん》から発祥したと、岩井さんが説明してくれる。ガラスの美術館は、ガラスの棒や板が連なっているような外観で、いかにもガラスの美術館といったふう。パンフレットによれば隈研吾さんの設計だ。大きな吹き抜けが少し湾曲して6階までぶち抜いてあり、各階に展示室がある。3階だったかは市立図書館になっていて、本が並んでいる様子が、どの階からもよく見える。

ちょうどこの日は、「富山ガラス大賞展」が開かれていて、オーストラリアとかいろんな国からの応募作が見られた。やわらかいクッションが置いてあると思ったら、それもガラスだったり、本当に幅が広い。すっかり堪能した。

そして、もう一つ稀有《けう》な体験は、富岩《ふがん》水上ラインという運河を上り下りしたことだ。ここの白眉は、中島閘門《なかじまこうもん》だ。いわば運河のエレベーター。オレンジ色のライフジャケットを着用して乗り込んだ小型の船が止まると、後ろ（上流）の水門が閉まる。すると前の水門から水が流れ出て水位が下がる。それに従って、自然と船がその場で徐々に下がっていき、下流と同じ水位になったところで門を通過する。パナマ運河がこの構造になっているとか。上がるときも、どういう仕組みか知らないが、ここに入って、徐々に水位が上がり、上流と同じ位置になったところで通過して元の船着き場に戻る。高低差は2・5mらしい。昭和の建物としては初めて重要文化財に指定されたと、パンフに書いてある。富山駅から歩けるところに、こんな面白い場所があるなんて。ボランティアガイドのおじさんも、説明がうまく、楽しかった。

運河の周りは、キュイジーヌフランセーズというフランス料理のレストランや、数々の植物、かつて運河の行き来を24時間態勢で監視した建屋など、見るところが多い。この建屋には、もうすぐ天皇陛下になられる皇太子殿下も見学に見えたということで、写真が残っていた。

この日は富山城にも行った。ここでも飛松さんに気が付く人が多い。一緒に行った椎野礼仁さんによると、「鈴木さんの顔を見て反応した人がいましたよ」とのことだが、誰かと間違えたのだろう。

11月9日（金）　なんとこの日から翌週の14日まで、入院してしまった。今年は2月にも、足が突っ張って動かなくなり、前に倒れて二の腕や顔に青あざができるくらい激しくすりむくという怪我をしたが、同じことがまた起きた。デジカメのデータをプリントアウトしようと家を出た。午前中のことだ。出て間もなく、足が棒のようになり、体が支えられない。右側の石の壁に手をついたが、そのままズルズルと体が沈み、その壁に顔も激しくぶつけた。鼻から血が噴き出して止まらない。ちっとも痛さは感じなかったが、血の量は半端じゃなかった。

そしたらワンワンワン！と犬がすごい勢いで吠え出した。その壁の家の飼い犬だ。あまりの声に、そこの家の奥さんが出てきてびっくりした顔をしている。通行人も集まりだした。

その奥さんが親切にも、玄関で休めと言って招き入れてくれた。ティッシュペーパーも出してくれる。なにしろ痛さは感じないから、「家に帰ります」と言ったら、「何言ってるんですか。救急車を呼びます！」

救急車はすぐ来て、隊員が「警察病院へ運びます」と言う。警察病院にはあまりいい思い出がない。警察病院へ運び込んで、隔離でもするのかと思ったが、なんと今、警察病院は僕がイメージした飯田橋ではなくて、中野にあるという。あっという間に運び込まれた。

そこから先のことは、あまり覚えていない。バタバタと傷の手当てをされた。検査したところ、鼻の骨が折れてるという。すぐ手術をしますかと聞かれたが、一連の検査が終わってからにしてくださいと答えた。

「はい、では入院です」

あっさり決められた。前の時は、その日に帰されたのに、何が違うのかよくわからない。ともかく、他の検査のため、ＭＲＩの機械にも通されたし、ＣＴスキャンもした。レントゲンも撮った。

「どなたか付き添いを呼んでください」と言われたが、誰もいない。千葉に住んでいる姪に連絡した。よくできた姪っ子で、僕が毎週木曜日、河合塾コスモの授業に行っている間に、自宅のみやま荘に来てくれて掃除をしてくれる。そんなわけで、頼んだら、すぐ駆けつけてくれた。本当に感謝だ。

バタバタと検査した後は、やることがない。蛇子さんが本を10冊以上持ってきてくれた。このところ読書量が進んでなかったからいい機会だ。入院の間は１日30分足らずのリハビリもやった。腿上《もも》げや、うつぶせになって足を上げるなど。その程度で、あとはバランスのいい病院食をきちんと食べた。

退院はしたがリハビリには通えというので、それだけはきちんと実行している。それに、血圧を測れとも言われた。少し高めらしい。これもオムロンの血圧計をちゃんと買った。時々だけど測っている。多少足はのろくなったし、姿勢が悪くなった（と周りから言われる）が、認知症の検査も何も問題がなく、頭は正常だ。ご心配なきよう。

周辺にしか知らせなかったが、一水会の木村三浩代表を含め、心配してお見舞いに来てくれた。有難うございます。毎日のように出かけていたトークイベントや観劇は少し控えようか……無理かなあ。

第26回

三島関連のイベントにたくさん出た

『創』19年2月号

今村均大将の息子さん(中央)と
斎藤徹夫さん(左)と

11月24日(土) この日は忙しかった。まず午前中、今村均大将の息子さんのご自宅を訪ねた。小田急線の駅まで、杉山寅次郎君がタクシーで同行してくれた。ここで斎藤徹夫さんと待ち合わせ。斎藤さんは新潟県新発田市で毎年「大杉栄メモリアル」というイベントを開催している。僕も毎年、出かけていく。

今村均大将とは、仙台出身の陸軍の軍人で、先の戦争のときは第16軍司令官としてインドネシアなどで活躍した。軍人としても大きな戦果を挙げたが、それだけでなくて、高潔な人柄で知られ、占領地域で現地の人の文化などを大切にしたため、現地の人たちだけでなく連合国側からの評価も得た。この点では、帝国陸軍内から批判の声もあったという。

仙台にゆかりがある点では私と共通。そして、今村大将もいろいろ転地を繰り返しながら、中学は新発田中学を首席で卒業している。そんな縁で、斎藤さんが取り持ってくれた。ご子息の和男さんと会うのは二度目だ。もう100歳になる。ご自身も陸軍の技術将校で、後に防衛大学校の教授も務めた。話を聞いてびっくりした。父上はクリスチャンで、机の上には聖書が置いてあったという。軍人とクリスチャンが同居していたのか。それでうなづけることも多い。

昼頃、辞去して、永田町のアイオス永田町へ向かう。今年も三島由紀夫・森田必勝両烈士顕彰祭へ出席した。一水会代表の木村三浩氏が祭文を読み、玉串奉上などの後、陸上自衛隊特別作戦群初代群長の荒谷卓氏の講演「三島・森田精神を現代に活かすとは」。面白かった。

11月25日（日）　永田町の星陵会館で憂国忌に出席。黙禱、玉川博己氏の開会の辞に続き、女優の村松えりさんが『春の雪』の一節を朗読、続いてえりさんの母君で、やはり女優の村松英子さんが『天人五衰』のラストシーンを読んだ。2人とも素晴らしい朗読だった。

その後がシンポジウム「『春の雪』をめぐって」。司会を『正論』の前編集長上島嘉郎氏が務め、小川榮太郎、富岡幸一郎、松本徹の各氏が討論。最後に中西哲参議院議員が追悼講演「憲法改正の時が来た」。閉会の辞では全員で「海ゆかば」を斉唱。内容豊富なイベントだった。

11月27日（火）　警察病院へ行く。リハビリのためだ。いまのところ週2回、通っている。行くたびに、MRIとかいろんな検査を受けさせられる。リハビリそのものは、下半身の強化だ。座ったまま、歩くように腿上げをしたり、後ろにそらしたり。検査を含めて1時間弱かかる。でも仕方がない、当分通わなくては。

12月1日（土）　高田馬場で韓国人のユン・スヨンさんと久しぶりに会う。彼女とは去年の4月、ソウルで出会った。高間響氏がやっている劇団「笑いの内閣」が代表作「ツレがウヨになりまして」をソウルでかけたのだ。なんと大胆な。だって芝居の中には、ウヨになった彼氏のセリフとして、へイトスピーチ的なセリフがたくさん出てくる。それをそのままやった。役者たちは日本語でしゃべり、映画の字幕のように舞台の後ろにハングルが映し出されていく。韓国人のお客さんもゲラゲラ笑っていたから、高間響の作劇がちゃんと通じたんだ。

観客の中には、あの『帝国の慰安婦』を書いた朴裕河《パクユハ》さんが来ていた。話したかったのだが、言葉ができない。名刺交換で終わってしまった。写真も撮られるのが嫌いということで、残ってない。残念だった。ここに来ていたのがユン・スヨンさんだ。日本から同行した椎野レーニンさんが、隣の席の女の子をナンパしようと、下手な韓国語で話しかけていたら、もう一つ隣の女性が日本語で答えてくれた。それが彼女だった。

で、レーニンさんが「僕の隣に座っているのが、鈴木邦男さんといって……」と話し始めたら「えっ、鈴木先生ですか⁉」とビックリした声を出す。「わたし、本を読みました！」。確かにその前の年、僕はソウル大学の日本文化研究所の招きで、ソウル大で講演をしたことがあった。それが韓国語に訳され、出版されていたのだ。彼女はそれを読んだという。

なんだそれならと、芝居の後、飲みに誘い、寅次郎を含め4人で飲んだ。話が弾んで、その日のうちに大邱に帰るはずだった彼女にバスをキャンセルさせて、我々が泊まるホテルに彼女も部屋を取った。翌日、安重根記念館や日本大使館前の従軍慰安婦像の所まで、案内してもらった。本当にお世話になった。彼女は、日本の大学の大学院に行きたいと勉強中だという。こういう真面目な人には、ぜひ日本で勉強して、日韓の懸け橋になってもらいたいと思った。

日本に帰ってきてから、この人のことがわかった。なんと韓国と日本の両方で、フリーハグ運動をしている人だった。チマ・チョゴリを着て、両手を広げて、道行く人にハグを呼びかける。もちろん、日本人と韓国人が仲良くするための行動だ。日本の大久保で、ヘイトデモが通る横で、チマ・チョゴリを着て、両手を広げて立ったこともある。この時は、目にアイマスクをした。誰が近づいてくるかもわからない。突然殴られても避けようがない。凄い人だったんだ。

ソウル駅で彼女と別れて、レーニンさんの先導で地下鉄を乗り継ぎ、金浦空港に到着。ここでまたハプニングがあった。空港のエスカレータを降りたところで「鈴木先生！」と若い女性が呼びかけてくる。藤波心ちゃんだった。反原発運動のアイドルとして、よく集会で童謡「ふるさと」を歌っていたあの人だ。いまは神戸国際大学で介護の勉強をしているという。彼女も大学院進学を目指している。若い女性は大したものだ。韓国語もペラペラで（たぶん）驚いた。

12月5日（水）　ＢＳ-ＴＢＳの「報道１９３０」に出た。テーマがすごい。「〝秋篠宮さま発言〟の真意―平成最後の皇室からのメッセージ」だ。

司会はＴＢＳの松原耕二キャスター。サブキャスターはＴＢＳアナウンサーの出水麻衣さん。売れっ子の２人をそろえ、コメンテーターは新潮社の堤伸輔さん。ゲストが園部逸夫弁護士（元最高裁判所判事で皇室問題について発言が多い）。その次に僕が座り、僕の隣が名古屋大学大学院准教授の河西秀哉さん。一番右端がＴＢＳ報道局解説室長牧嶋博子さんだった。内容の要約は難しいので、ここでは触れないが、大変参考になった。

園部さんと数年前、何かの雑誌で対談をしたことがある。やはり天皇制のことについてだったと思う。

翌日、映画監督の渡辺文樹さんから「放送を見ました」と電話があった。この人も超過激な反天皇制の映画を撮っているから、関心があって見たのだろう。福島で上映運動の最中だという。「少し元気がなかったですね」と僕のことを心配してくれる。まだ、ケガの影響が完全に払拭されてないということだ。リハビリ、ちゃんと通わなければ。

12月7日（金）　この日もアイオス永田町に行く。「第3回　日露平和条約締結促進国民大会」に出た。丸山和也氏（自由民主党参議院議員）は欠席だったが、新しく立ち上げた自由国民党代表の小林興起さんや木村三浩氏が登壇した。2人とも日本の対米自立を主張する論陣を張っていた。

僕も発言を求められたので、ジリノフスキー（ロシア自由民主党）や山梨学院大学のサルキソフ教授などと話した経験を披露して、ロシア人にも話が通じる人は大勢いるので、話し合う余地は十分にあるというスピーチをした。

12月9日（日）　昼から、三島由紀夫原作の『愛の処刑』と、中村幻児監督の『美しき謎／巨根伝説』の2作品がシネマハウス大塚で上映された。主催は三島由紀夫研究家の瀧澤亜希子さんと、映画上映運動をやっている川本純基氏。川本さんは映画のことなら何でも知っているので、僕も原稿を書いていて、映画関係のことを書きたくなるとよく質問する。

『愛の処刑』を見るのは二度目だ。前も瀧澤さんが自分の研究会で上映してくれた。映画のポスターでは原作・榊山保となっているが、三島由紀夫の偽名だと早くから言われていた。それが認められたらしく、三島の全集にも収録されるようになった。映画の内容は、中学教師と中学生男子のホモセクシャルを扱ったもので、最後はその教師が、中学生男子に促されて切腹をする。切腹という点で『憂国』の先駆け作品と言われているようだが、僕はむしろ、この2人は三島由紀夫と森田必勝の構図そのままと思った。中学生が「先生、責任を取って切腹してください」と迫るところがそっくりだし、中学生は教師の切腹を見届けて、後追い自殺をする。

三島がこれを書いたのは1960年という。まだ楯の会も結成されてないが、10年後の自分の最期をどのくらいイメージしていたのか、興味深い。ただ、僕の好みでは、中学生男子がもう少し美少年であってほしかったというのが、正直なところだ。

もう1作の上映作品『美しき謎／巨根伝説』がまたすごい映画だった。徹底的に三島と楯の会をパロディにしている。それも、ホモ映画として。三島と森田だけじゃなくて、楯の会そのものがホモ集団であるかのように描き、乱交シーンなんかもある。

よくこんな映画が撮れたものだ。企画した会社、撮った監督、出た俳優、みんな勇気がある。遺族の訴え（名誉棄損とか）も心配しなきゃいけないし、右翼が妨害するかもしれない。

司会に立った川本さんも「ご不快と思う方もいらっしゃると思いますが、どうかスクリーンを切るようなことはやめてください」と、言葉こそ殊勝だが、ちゃんとそういう事件があったことを下敷きにして笑いを取っていた。この人もなかなかだ。

実は映画の上映の後、『美しき謎／巨根伝説』の中村幻児監督とのトークで裏話などもいろいろ暴露されたのだが、紙幅が尽きた。来月、書けたら書いてみよう。

第27回
ほろりとさせられた陛下のお言葉

『創』19年3月号

12月22日（土） 三島由紀夫研究家の瀧澤亜希子さんの案内で、恵比寿にあるギャラリー「ＬＩＢＲＡＲＩＥ６」に行った。写真家の細江英公さんの写真展「芸術家たちの肖像」が開催されていた。この日は細江さんご自身が見えると聞いていたので、行きたかったのだ。

細江さんの名は、三島由紀夫のファンにはおなじみの写真集『薔薇刑』でよく知っていた。写真を見ていたら、どこかのマスコミの取材を終えた細江さんが現れた。さっそく『薔薇刑』の撮影時のことを質問した。驚いたことに、三島邸で撮った写真も多いが、下見もしなかったという。その場の雰囲気・空気で撮っていったそうだ。三島由紀夫をゴムホースで縛った有名な写真も即興だったとは驚いた。

帰りがけに『私の写真観』を購入して、サインを頂いた。本の表紙には「ざっくばらんに話そう」と、何とも味のある書体で書いてある。その点でも、編集者泣かせの僕の字を、大いに恥じた。

1月2日（水） 大みそかは瀧澤さんの家に招待され、お父上と一緒に年越しそばをごちそうになった。遅く帰ったので、元旦は朝寝坊。いつもは近くの神社に初もうでに出かけるのだが、今年は足

４年ぶりに一水会フォーラムで講演

の不調もあり行かなかった。2日の、平成最後の一般参賀にも行けなかった。テレビによれば15万人もの人が集まり、皇室の方々は異例の7回もお出ましになった。それもあまりに大勢の人が訪れたので参賀がかなわなかった人々のため、陛下のご意思で、2回も増やしてベランダに立たれたという。来た人はさぞうれしかったことだろう。「人々の安寧と平和を願う」という陛下の挨拶もよかった。

また昨年末のお誕生日の一般参賀での挨拶でも、短い中で被災地の方々を気遣うお言葉があった。「象徴」という自らの存在について、本当によく考えられていらっしゃったんだなあと、頭が下がる。自らその立場を選ばれた皇后陛下へのねぎらいの言葉にも、ほろりとさせられた。

1月5日（土）　恒例になっている、高木尋士さん主催の読書会に出席。毎年年初に行われるこの会では、昨年の読書目標の達成率や、去年読んだ本の中から推薦図書を発表する。今年も高田馬場の「カフェミヤマ」にメンバーが集まった。今年は、参加人数が5人と少なかったのが、ちょっと残念だった。でもカメラマンの平早勉さんが初めて来てくれたのはうれしかった。

昨年、僕が読んだ本はおよそ350冊。例年よりちょっと少ないが、体調を崩した割には頑張ったと思う。高木尋士さんには100冊負けた。彼は読書のためには命もいらない(?)人で、読書時間が少なくなるからとスマホをやめ、朝5時から起きて3時間読書するというから、とてもかなわない。

去年、年間60冊という目標を立てた椎野レーニンさんは、ほぼ達成できたとか。去年、私生活の充実と本の読破数は比例するという名説(迷説?)を唱えたから、いい1年だったのかな? それにしても、仕事で読んだ本は除外したとしても、まだ私の6分の1だ。少なすぎる！　話があっちゃこっちゃに飛んだので、各自のベスト3が聞けなかったのは残念だった。

1月8日（火）「銀座　観世能楽堂」に立川志の輔さんの落語を聴きに行った。銀座に能楽堂なんかあったかなぁと思いながら行ったら、昔の銀座松坂屋の場所だった。地下3階に「二十五世観世左近記念観世能楽堂」があった。

能舞台の上で落語をやるのかな?と思って入ってみると、その通りだった。歌舞伎座の落語は、米朝さんを聴きに行ったことはあるが、能舞台は初めて。能舞台の格調に恥じない、見事な話芸だった。演目は中村仲蔵だったと思う。わざとらしいボケのない、笑いを決して強要しない落語。気持ちのいい時間を過ごした。能楽堂が似合う落語家は、志の輔さんぐらいだろう。

終わって楽屋を訪ねてご挨拶し、昨年、富山市に行ってきたことを報告した。富山は志の輔さんの故郷だ。市役所の展望台から立山連峰を堪能した話。ガラス美術館の話。そして、パナマ運河と同じ構造で、水の抜き・足しで段差を越える運河（中島閘門《なかじまこうもん》）を体験した話をすると、「さすが鈴木さん、富山のいいところはちゃんと見てますね」とほめられた。

1月15日（火）　久しぶりに一水会フォーラムで講演。4年前に「一水会の43年」という、一水会の歴史を振り返る話をして以来だと思う。テーマは「御代替わりを前にして、思うこと」。1月2日の項の続きになるが、平成最後のということで、新年の一般参賀には平成最多の15万人もの人々が集まった。「人々の安寧と平和を願う」という陛下の挨拶も、この方らしかった。

また、昨年の誕生日の記者会見で、私がほろりとさせられた陛下のお言葉は、皇后陛下に対して言われた、次のものだ。

「天皇としての旅を終えようとしている今、私はこれまで、象徴としての私の立場を受け入れ、私を支え続けてくれた多くの国民に衷心より感謝するとともに、自らも国民の一人であった皇后が、私の人生の旅に加わり、60年という長い年月、皇室と国民の双方への献身を、真心を持って果たしてきたことを、心からねぎらいたく思います」

民間から皇室へ入られた美智子様は、ガラッと変わった環境に、心労もきっとあったことだろう。そういうことも、陛下はおそばにあって、理解しようとしてきたし、実際理解されたのだと思う。人間性のにじみ出た、万感をこめたお言葉と、僕は受け取った。

そういう個人的な感懐だけではなくて、記者の質問に答えて、「平成が戦争のない時代として終わろうとしていることに、心から安堵しています」と、涙声にもなった。「平成」というご自分の御代を大切にされ、「日本国の象徴」という言葉を大事にされ、よく考え抜いた。そして、全国の被災地などに出かけ、国民の前で膝を屈し、ねぎらい、祈られたのだ。そのうえで、それが高齢のため不可能になることを恐れて、生前退位というご決心をなされたのだと思う。

本郷和人氏の『上皇の日本史』（中公新書クラレ）を読んだら、そもそも元号は天皇陛下が決められていた。一世一元と定められたのは明治元年だ。その前は、天変地異や戦乱のあった時に、気分一新を狙って元号が改められた。それに戻せなどという暴論を吐くつもりはないが、元号は陛下に決めていただいたらいいと思う。識者への委嘱と同じことになるかもしれないが、ご自身の意思を表す数少ない機会になるはずだ。この本、表紙には〈200年ぶりの天皇譲位を前に、知っておきたい歴史の中の上皇〉とある。その通り、わかりやすいし説得力のある本だった。

1月16日（水） 新潟県の五泉市に行った。実は五泉には、私のルーツの一つがある。私の母は福島県会津坂下《ばんげ》の生まれだ。実家は肥料を扱っていて、なぜか屋号が「新潟屋」だった。10年位前、その理由を母の姉に聞いたら、「だって元は新潟だったんだよ」という。ちっとも知らなかった。それが五泉だった。

その話を、新発田市で毎年「大杉栄メモリアル」を開催している斎藤徹夫さんに話したら、「じゃあ、今から行ってみますか?」という。ちょうど「大杉栄メモリアル」の催しが終わって、新発田にいたのだ。その時に次いで二度目の訪問だ。17日に新発田で、アナーキズムや大杉栄についての著述が多い栗原康さんの講演があるというので、斎藤さんに「行くよ」と言ったら、「だったら前の日に五泉で講演をしてください」という話になった。

私の足の調子を心配して旅に同行してくれた椎野レーニンさんと新潟に着き、斎藤さんが車で迎えに来てくれた。「去年はこの時期、50センチも雪が積もっていたのに今年はまったく降ってない」と斎藤さん。40分くらいで五泉に着いた。平日の午後だから、人は少ないだろうと思ったら、その通り。でも、10人ちょっとが集まった。数日前の新潟日報に「五泉に母方ルーツ　鈴木邦男さん講演」というベタ記事が載ったら、なんと半数近くがこの記事で知って来たという。

テーブルをロの字型に並べて、懇談会のような雰囲気。『天皇陛下の味方です─国体としての天皇リベラリズム』の内容を中心にひと通り話して、質問コーナーになったら「この天皇とは昭和天皇なのか、平成天皇なのか?」という質問がきた。この人は60年代後半から70年代の『現代の眼』などの左翼雑誌を持っているという市民運動家で、この日も、『現代の眼』の僕と野村秋介さんの対談が載っている号を持ってきていた。もちろん両方だというようなことを答えたと思う。

第4章 闘病とドキュメンタリー映画

みやま荘にて（映画『愛国者には気をつけろ！　鈴木邦男』より）

第28回
「むのたけじ地域・民衆ジャーナリズム賞」で横手へ

『創』19年4月号

雄物川郷土資料館の「むのたけじ展」で

心配している人もいる（かもしれない）ので、体調報告をしておこう。まだ万全とは言えないが、歩くスピードは、ある人によれば「最低期の倍くらいになりましたね」とのこと。ただ、姿勢が傾いたりしたときには、バランスを崩すことが多い。飲み屋の掘りごたつふうの席に座ると、立ち上がるときは難儀だ。テーブルに手をついて、上半身に力を入れて起き上がろうとするのだが、なかなかうまくいかない。見かねて、両方のわきの下に手を入れて引っ張り上げてくれようとする人が時々いるが、それはそれで全体重を持ち上げなきゃいけないから大変だ。なにせ足に力が入らないのだ。

リハビリには月2回程度しか通っていない。入院していた中野警察病院へ行っている。1回に30分足らずなので、どこか本格的なリハビリに通ったほうがいいかなと考え中。東中野駅前の骨法整体はどうだろうか。

警察病院では車いすに乗せられる。確かにこれは楽。楽すぎて、依存症にならないよう、自分を戒めている。病院以外では使わないこと！　外を歩くときは杖をつかず、自分の足で歩くこと！

1月26日（土）　秋田県横手市に行った。実は、父親が東北の税務署数カ所を転勤して回っていたので、いろんな所に住んだが、横手にもいたことがある。幼稚園から小学校1年にかけての頃だ。

故郷(?)を訪ねた目的は、今年から始まった「むのたけじ地域・民衆ジャーナリズム賞」の発表と記念講演があったからだ。むのたけじさんは朝日新聞の記者だったが、戦争遂行に新聞社も、また自分個人としても責任があったのではないかと思い、終戦の日に朝日を辞め、故郷の横手にもどった。もどって、たった一人でミニコミ紙（週刊新聞）「たいまつ」を創刊した。地域の話題から国際情勢まで、必要と思うものをコツコツと報道して、その後30年間、７８０号まで発行し続けた。

むのさんは２０１６年に１００歳余で亡くなられたが、生前、僕は何回か対談をしたことがある。そのとき、父親との因縁を話した。前述の通り、僕の一家は横手に何年か住んだが、「むのさんはよく家に遊びに来たよ」と父が言っていた。残念ながら、幼かった僕にはそれ以上の記憶はない。

それよりも、対談の中で朝日を辞めたことについて、「そこまで個人が責任を感じなくてもいいのでは？」という質問をしたら、実は新聞社の中ではそろそろ戦争が終わる、しかも○日ごろだという具体的な話が出回っていたという。それを書けなかったことが痛恨の極みだと言っていた。それも、政府や軍部の人間が直接新聞社に来て、「書くな」という指示をしたわけではなくて、新聞社内部の自主規制だったのだという。それで、終戦のその日に辞表を出したらしい。そして横手にもどり、「たいまつ」を発行した。全国に読者が広がったというのもわかるような気がする。

ジャーナリズム、とまで振りかぶらなくても、マスメディアが権力者や時勢に忖度《そんたく》して報道を控えるのは自殺行為に他ならない。むのさんは現代にも通じる警鐘を鳴らしていたのだ。

そんなことがあったので、昨年、「むのたけじ地域・民衆ジャーナリズム賞」の事務局から電話があって、僕が実行委員の一人に選ばれたと聞いてうれしかった。他には、鎌田慧、佐高信、落合恵子、轡田《くつわだ》隆史、永田浩三、武野大策（むのたけじさんご子息）の各氏、計7名だ。

賞は、地域に一人でいて、必要な情報を口を拭わず報道したむのさんのジャーナリスト魂を受け継ぐ人に与えられる。この「人」というところが、僕は重要だと思う。組織に頼らず、組織におもねらず、真実を報道すること。

今年も70人を超える応募があった。賞金が出ない賞なのに、これだけの応募があるということはいいことだ。頼もしい。

栄えある第1回の大賞に選ばれたのは、北陸朝日放送のドキュメンタリー番組「言わねばならないこと—新聞人桐生悠々の警鐘」をつくった黒崎正巳氏だ。桐生悠々とは、元信濃毎日新聞社主筆で、「関東防空大演習を嗤う」という社説を書いて退職を余儀なくされ、個人誌を出した。桐生も番組をつくった黒崎氏も、むのたけじの名を冠した賞を受けるにふさわしい人たちだと思う。

優秀賞は、東日本大震災をきっかけに大槌新聞というミニコミ誌を発刊した菊地由貴子氏。やはり、いかにもこの賞らしい目配りだと思う。

賞の発表の会場は雄物川郷土資料館という場所だった。ここでは1月26日から「むのたけじ展　大正・昭和・平成を生きたジャーナリスト」が開かれている。「たいまつ」の実物や、むのさんの手書きの「たいまつ新聞社」という看板、そして「たいまつ」を実際に刷っていた手回しの印刷機まで展示されていた。中でも目を引いたのは「嵐はたいまつを消す。だが炎が燃えるのも嵐の時だ」という直筆の色紙。迫力があった。

この日は、あきた文学資料館の北条常久名誉館長の記念講演があり、僕も促されて少し発言をした。

1月27日（日） 翌日、角館に足を延ばした。亡くなった阿部勉氏の故郷だ。阿部氏は僕にとっては、共に一水会を創設したメンバーでもあるが、本当に優秀な男だった。早稲田に入った時は、すでに旧仮名で文章を書いていた。楯の会の一期生だが、三島由紀夫はそんな阿部氏をかわいがって、隊内に作った「憲法研究会」の会長に据えた。この時、「天皇が象徴とはどういうことか」「女性天皇論について」など、いろいろ活発に議論を戦わせたという。その時の記録が残っていると聞いた。どこかの出版社で出さないものか。

一水会の代表だって、本当は阿部氏がなるはずだったが、表に出ることを嫌う性格だったので、僕にお鉢が回ってきた。

阿部氏の墓参りは何回もしているが、冬は初めてだった。タクシーで近くまで行ったが、その後が大変だった。雪が深い。腰まで積もっている。これでは今の僕の体力じゃ無理だと、泣く泣くあきらめた。住職に聞いたら、「冬は一切、お墓参りはしていません」と言われた。初めからできない相談だったのだ。

その和尚さんが、「近くだから案内します」と阿部氏の実家まで連れて行ってくれた。お兄さんがいたのだが、そのお兄さんも去年の秋に亡くなったそうだ。奥様と娘さんが住んでおられて、お兄さんの慰霊に手を合わせた。仏間には阿部氏が古本屋を開業した時の写真も、額に入れて飾ってあった。

2月8日（金） レーニン事務所の40インチテレビで映画を見た。サム・ペキンパー監督の「戦争のはらわた」だ。名前は知っていたが、見るのは初めてだ。たくさんの人がいた。ロックグループ頭脳警察のパンタ。パンタの写真を撮っているカメラマン（なんと松葉づえなのにパレスチナなど世界を駆け巡っている）。頭脳警察は今年が結成50周年だとかで、そのイベントの仕掛をしているプロデューサー。それにレーニン事務所に机を置いているフリーの女性編集者など、10人近い人数になった。

これを見ることになったのは、頭脳警察50周年イベントの一つが、毎月パンタがやっている「暴走対談」で、2月の対談相手が映画評論家の町村智浩さん。その町村さんがベストワンにあげている映画が「戦争のはらわた」だ。でもパンタは見てなかったので、じゃあ対談までに見ようということになったらしい。で、僕も誘われたのだ。

いやあ、すごい映画だった。陰惨で救いがない、と僕は見た（これはレーニンさんに反論された）。戦争シーンは出てくるが、痛快に敵をやっつけるという映画じゃない。あくまでドイツ軍内部の、いわば内ゲバみたいなものを描いている。だから「戦争のはらわた」というタイトルなのか。でも原題のCross of Iron（鉄十字章）のニュアンスはまったく出ていない。

この映画が日本でヒットしたのは、学生運動が歪んできて内ゲバで終わってしまったことの反映だと思う。1977年日本公開と、当日レーニンさんが用意してくれたレジュメにはある。学生運動にかかわった人たちが「これは俺たちのことを描いている」と共感したんだろう。いや共感というより、シンクロしたところがあったのではないか。

パンタも熱っぽく感想を語っていたから、対談は盛り上がるだろう。ロフト系のライブハウスなどに置いてある「ルーフトップ」にその模様が掲載されるというから、興味のある方は、そちらをお楽しみに。

2月11日（月）　いわきのぶこさんの誕生日パーティに出席した。いわきさんは自民党から衆院選に出て、一度当選している。「やる気！　元気！　井脇！」のキャッチフレーズとオールバックの髪形に全身ピンクのスーツ姿を覚えている人も少なくないと思う。あれは本当にインパクトが強かった。

パーティ会場は池袋の東武デパートの上の方だった。この日は建国記念日だから、「国の誕生日と私の誕生日は同じ日だ」と、毎年、いわきさんは自慢している。会ったら、「今年は鈴木君は体の調子が悪いんだから、無理して来なくてもよかったのに」と言われてしまった。

君呼ばわりなのは、いわきさんとも付き合いが古いからだ。お互いに「生長の家」の会員で、初めて会ったのは学生時代。いわきさんは別府大学で左翼と闘う自治会委員に立候補し当選。隣の大分大学で、やはり右から自治会役員に立候補して当選していた衛藤晟一氏（自民党参議院議員）とともに、大分県の全国学協（全国学生自治体連絡協議会）を結成した。僕は全国学協の初代委員長だったので、その縁で知り合った（ちなみに僕は無能だったので、委員長は1カ月で首になった）。

パーティは１００人以上が集まる盛会で、40代、50代の人も多い。いわきさんは「少年の船」という組織を作って、子供たちをアジア諸国に連れていく運動をしていたから、そのころの子供たちがいまいい大人になってお祝いに集まったらしい。いい話だ。彼女はいまも教育関係には携わっているという。立派なものだ。

訃報が飛び込んできた。前々回冒頭で書き、写真も載せた今村和男さん（今村均大将のご子息）が亡くなった。ご遺志により家族の密葬に付したとか。享年１００歳。合掌。

第29回

知床半島に遠征！　流氷、鹿、国後島…

『創』19年5・6月号

流氷の向こうに国後島

今回も僕の病状（?）報告から始めよう。

と言っても、病名があるわけじゃなくて、ただ下半身が衰えているというか、とにかく足に力が入らない。だから歩くのは、ペンギン歩きといったらいいのか、前に足が出ないので、よちよち歩きになってしまう。どこに行くにも時間がかかって仕方がないし、うっかり人込みで人に後ろからぶつかられたらと思うと、恐くて電車にも乗れない。

なので、外出はもっぱらタクシーに頼るから、お金がかかってしょうがない。でも、まだ杖や、体の前に補助の車が付いた手押し車（あれはなんというのだろうか?）は使わないことにしている。

それともうひとつ、最近会う人から「鈴木さん、どうしたんですか、顔がボーっとしてますよ」と言われたり、口に出して言わないまでも、顔にそう書いている人も多い。別に、ボーっと生きてるんじゃない。チコちゃんには怒られない。脳の働きに支障がないのは、この際、はっきり申し上げておく。リハビリの時、ちゃんと認知症の検査も受け、きわめて好成績だった。だって、4つの物を机の上に出されて、一回しまった後、順番通りに出してみろだなんて、あまりに簡単すぎる。

2月20日（水）　衆議院議員会館へ行った。「翁長前知事の遺志を継いで　沖縄辺野古基地NO！日米対談イベント」という長い名前の会だ。行ってよかった。メインスピーカーのロブ・カジワラさんの講演に感動した。

この人のことは、まったく知らなかった。あとでネットで調べたら、去年の12月、ホワイトハウスの請願サイト（というものがあるらしい）のために「辺野古基地工事中止」の署名を求めた人だ。タレントのローラさんが賛同して、バッシングされたことは、僕もうっすら覚えている。そうか、あの人か。ハワイ在住の日系4世で、作曲家。母方は沖縄出身とウィキペディアには書いてあった。

沖縄住民投票を前に急遽来日したとのこと。講演は通訳がついた。1時間の内容だったので、興味ある方はユーチューブなどで確認してほしい。日本を愛する外国の人はたくさんいる。つい先日亡くなったドナルド・キーンさん（日本に帰化して鬼怒鳴門さん）もそうだが、この人も、ある意味、日本人以上に、日本と沖縄を愛している。良き隣人とは、こういう人のことを言うのだろう。話を聞いて、つくづくそう思った。

カジワラさんは、また新しいホワイトハウス請願署名を集めている。辺野古の基地建設により、世界に見られないサンゴ礁が破壊されるのを防ごうという趣旨だ。賛同の方は署名に協力を。僕も誰かに聞いて、やってみよう。

他に話をしたキャサリン・ジェーン・フィッシャーさんや元自衛隊レンジャー部隊の隊員の井筒高雄さんにも、考えさせられた。坂本龍一さんのビデオメッセージもあった。司会の増山麗奈さんやこの集会を主催した田中正道さんには感謝だ。他にも浅野健一さんなどゲストがたくさん。みなさん、辺野古新基地建設に反対し、県民投票への参加を呼び掛けた。

集会の最後の方で、僕も指名されたので、外国人の方がこんなに日本や沖縄のことを真剣に考えていてくれることに驚いたし、感動したと話した。

3月5日（火） 流氷を見に行った。大変だったが、知床半島まで行ったのだ。もっとも大変だったのは僕じゃなくて、同行してくれたカメラマンの坂野正人さんと桜井絹子さんの方だろう。二人とは10年くらい前にも、静岡県伊東市の富戸《ふと》ホエールウォッチングにも行ったし、その翌年は椎野レーニンさんも一緒に伊豆七島の利島に行って、イルカと遊ぶダイビングにも挑戦した。この時は、事前にダイビングの訓練もした。利島ではうまくイルカが現れて、僕のすぐ下を泳ぎぬけて行った。手を伸ばせば触れられただろう。

彼らはイルカだけじゃなくて、流氷のウォッチングもしているので、詳しい。一度、本物の流氷を見てみたいと思っていたから、念願がかなった形だ。

羽田から網走の近くの女満別空港まで、飛行機で2時間半くらい。飛行機がだんだん女満別の市街に近づいていく。なんだか、ここも日本かというイメージがした。考えてみれば、北海道の東側には、人はあまり行ったことがないだろう。

空港でレンタカーを借りて、野付半島まで60キロのドライブだった。本題に入る前に断っておくと、この旅程では、なるべく自分で歩こうと思ったのだが、「鈴木さんは病人だから駄目です。車椅子を使ってください」と言われ、空港関係はすべて車椅子を借りた。いまの空港は、本当に至れり尽くせりで、飛行機に乗り込むまではもちろん、帰りはタクシー乗り場まで、全部、車椅子。しかも空港の職員が押してくれる。本当にありがたい。すっかりお世話になった。感謝感激、雨あられだ。癖にならないように、自戒しよう。

もちろん流氷がそんな簡単に見られるわけじゃない。車で入れる所は、かなり細い道まで坂野さんが運転してくれて、もうどうしようもない道だけ歩いた。もちろん寒かったが、なんとか頑張った。

流氷を見たのは、野付半島。知床半島と根室の真ん中ぐらい。ここからだと、国後島まで16キロとかで、本当に目と鼻の先。白く雪を戴いた山並みがはっきりと見える。波打ち際はまた一層、白く光っているように見えるのはなんだろう。よくわからなかった。

流氷というのは、海一帯が一枚の氷のように大きいものもあるし、小さく砕けて、まるで雪の塊がバラバラに移動しているように見えるものもある。

今回の収穫は、流氷だけじゃなかった。野生の鹿を見た！　数えきれないくらいたくさんの鹿が群れになって歩いている。野付半島には北方領土の碑があるが、その周りにもいっぱい。でもこれは、珍しいらしく、坂野さんたちでも見たことがない光景という。

よく見ると、立派な角の生えたオスはオス同士、メスはメス同士。年老いた鹿は年老いた鹿だけで固まっている。でみんなで何をしているかと言えば、ひたすら草を食べている。それだけだ。草はもちろん枯草だ。僕たちがいる間、ズーっと、首を下に伸ばして草を食っている。その姿しか見てない。

ただ、氷の上に出ている鹿もいる。流氷の鹿の背景に、大きな夕日が沈んでいく様を見て、この私も一瞬、詩人になりかけた。

車が寄ってきても、まるで注意を払うそぶりはないのが、不思議だ。ただ、時々は車とぶつかることもある、と坂野さん。とにかく、奈良にいる鹿とは全然違う。

キタキツネも数匹見た。こちらは一人で（一匹で？）ポツンといる。さすがに近くには寄ってこない。こうなったら熊も見たいと坂野さんに頼んだら「冬眠中です！」と笑われた。

この日は標津町という所まで行ってホテルに泊まった。

3月6日（水） 知床半島の東側の羅臼まで行って、また流氷を見物。ここは港の中まで流氷が入ってくるので、なかなか船が進まない。

泊りは知床半島の西の付け根、斜里。

3月7日（木） この日は白鳥まで見た！ 網走の手前の濤沸《とうふつ》湖でだ。白鳥の飛来地として有名で、この日は遠目からだが、はっきりと約30羽の白鳥を目撃した。ロシアからやってきたという。何羽かは首を水に突っ込み、お尻を長く空中に突き出して、餌をあさっている。ずいぶん長い間、その姿勢を保っている。水の中で息ができるのかな？ 餌をあさってない白鳥はただ浮いている。

網走港からはオーロラ号という砕氷船に乗り込んだ。流氷帯に突っ込むのだ。目の下に見る流氷は本当に迫力があった。重さをかけてバリバリと氷を砕きながら進む。湾を出て戻るだけのクルーズだが、氷を割りながらだから、1時間半もかかった。

船の中には、水槽の中にクリオネが泳いでいる。クリオネは知らない人に説明するのは難しいが、半透明で1センチくらいの、形はイカみたいな軟体動物だ。なかなかかわいい。オーロラ号には100人くらいの客が乗り込んだが、我々の他はほとんどが中国の観光客のようだった。

網走にもどって、お約束の刑務所へ。といっても、何もしてないから中には入れない。かわりに隣の刑務所博物館へ行った。昔の刑務所の建物を移設して使っているから、臨場感がいっぱい。雑居房と独居房があって、中ではオレンジ色の服を着た囚人たちが食事中だった。と思ったら、よく似た人形だ。囚人食を食べられるレストランがあるが、残念ながら2時までしか営業してないので、試せなかった。

刑務所でも車椅子を出してくれ、坂野さんが押してくれた。

氷に鹿、キタキツネ、白鳥に刑務所、北方領土も見たし、頑張って行ってよかった。もう、思い残すことはな……くはないな。まだまだ鈴木邦男、頑張ります。

3月16日（土）　光が丘に講演に行った。ここで講演するのは初めてだ。会場は練馬区、都営大江戸線の終点「光が丘」で、大きな団地がある。そこの一角にある区民会館だ。

僕を呼んでくれた立憲フォーラム練馬とは、栗原さんという個人を中心に有志の方がやっている勉強会だ。地域から政治を変えようというのがコンセプトと聞いた。毎月、ゲストを呼んでいるようだ。

僕に与えられたテーマは「天皇陛下と憲法」。元号はかつては時の天皇が決めたことも多かったという話から始めて、国民統合の象徴とはどう考えるべきかとか、そういう話をした。20人以上の人が集まった。地域の集まりらしく、ご夫婦で来ている方もちらほら。学生みたいな人もいたのがうれしかった。質問コーナーでも、4～5人の方から質問を受けた。

終わって、聴きに来てくれた坂野さんや桜井さん、音楽プロデューサーの坂元勇仁さんたちと食事をして帰った。

第30回 令和の初仕事

『創』19年7月号

竹信三恵子さん(左)、田中美津さん(中央)と

このところ、体調は小康状態というか、低位安定というのか。相変わらず、下半身に力が入らず、歩くのがおぼつかない。表情も、自分ではよくわからないが、ボーっとあらぬ方を見やっていることもあるようだ。ただ、人前に出たり、対談を受けたりすると、そのときだけはシャキッとできているようだ(身近な人の談)。本誌の篠田編集長をはじめ、パーキンソン病を心配してくれる人が多い。こんなとき、どんなふうに医者に行ったらいいのだろう。なにしろ慣れてないからわからない。

3月20日(水) NHKから取材を受けた。僕は昔、大和新聞という日刊紙(ただし平日のみの週5日刊)にインタビュー記事をかなりの頻度で書いたことがある。昭和史を飾った右翼の先輩に会いに行って、詳しく話を聞いたのだ。

いまラインアップを見ても、嶋野三郎(老荘会)、清水行之助(三月事件)、小沼広晃(血盟団事件)、川崎長光(五・一五事件)、片岡駿(神兵隊事件)、次木一(士官学校事件)、末松太平(二・二六事件)の各氏など、絢爛《けんらん》なメンバーだ。よく僕のような若造に話を聞かせてくれたと感謝しかない。

それらを第1部とし、第2部では赤尾敏、津久井龍雄、猪野健治、影山正治、三上卓、野村秋介各氏との対談や座談を追加して収録した本が、昭和52年（１９７７年）に出ている。『証言・昭和維新運動』というタイトルで、島津書房刊だ。最後の「各発言者・略歴」のページは顔写真入りだ。みなさん、いい顔している。僕だけ、中途半端な長髪で、恥ずかしい。30歳前後の写真かもしれない。

この本の新装版が２０１５年に出た。出してくれたのは、皓星社という出版社の藤巻修一社長だ。この人は、ハンセン病文学全集やアナーキストの雑誌の発行元になるなど、意欲的な出版人だ。今は後進を育てようと、まだ30代前半の才媛晴山生菜さんを社長にしている。新装版は『ＢＥＫＩＲＡの淵から　～証言・昭和維新運動』という題名だ。

ＮＨＫの人は、この本を読んで、昭和の歴史を生きた人に直接会っている人として、僕のところに話を聞きにきたという。「他の方のインタビューとは全然違うので」とほめていただいた。

3月22日（金）　朝日新聞社2階のホールで、田中美津さん、竹信三恵子さんとの鼎談トークイベントに出た。タイトルが「目から鱗！　右傾化とは、要するに男性化のこと？」。

田中美津さんは１９７０年代にウーマンリブ運動で有名になった。今なお、鍼灸《しんきゅう》師をしながら、言論活動は欠かさない。この後、４月にはアナーキズム研究を専門とする栗原康さんと公開対談をした。竹信三恵子さんはジャーナリスト。朝日新聞でシンガポール特派員や労働問題担当の論説委員などを歴任。２０１０年まで、内閣府男女共同参画会議基本問題専門調査会委員も務めた。

サブタイトルの「右傾化と男性化」は、僕に関係があるようなないような、よくわからない。ただウーマンリブなどに反感を示す人は、そのこと自体を真剣に考えてるわけじゃなくて、右傾化を求める中で、そういう態度をとってる人たちじゃないかと思う。そんな話をした。

3月30日（日）『噂の眞相』の発行人・編集長だった岡留安則さんを「賑《にぎ》やかに送る会」に出席。本当に賑やかだった。元日産の会長ゴーンさんの弁護活動で多忙であろう弘中惇一郎さんが見えていたのには驚いた。その他、筒井康隆、田原総一朗、佐高信、落合恵子、菅直人、松尾貴史の各氏他と久しぶりに会った。死してなお、これだけの人が来てくれるのだから、岡留さんの人間性が偲《しの》ばれる。司会の青木理さんは僕の体調が悪いとみてとったようで、「鈴木さん、頼むから病院に行ってくださ い」と言われてしまった。

4月4日（木）新潟県新発田市に行った。新発田で毎年「大杉栄メモリアル」というイベントをやっている斎藤徹夫氏が、統一地方選の新潟県議選に出ることになったから、その応援のためだ。僕なんかの応援でいいのかなと思ったのだが、斎藤さんが是非にと言ってくれたので、出かけることにした。

朝、東京をたった。心配したのか塩田祐子さんという一水会で週2日バイトをしている女性が付き添ってくれた。午後、JRの新発田駅に着き、タクシーで会場の生涯学習センターへ。この日は前夜祭なので、キーボードの演奏などもあり、ホンワカムードだった。斎藤さんは堀部安兵衛や大杉栄、今村大将など新発田出身の人はみな、反権力の気概を持っていた、それを復活させたいと話していた。

4月5日（金）この日が選挙運動の解禁日。朝のうちに新発田から五泉市に回った。ここから県議選に立候補した安中さとしさんの応援演説だ。僕は母方のルーツが五泉なので、第2の故郷と思っている。ぜひ頑張ってほしいと激励した。

結果は、斎藤徹夫さんは定数３に４人が立候補した闘いで、２５０９票しか取れず「惨敗でした」と本人。もともと３人しか立候補しないで無投票になるところを、それはよくないと出たから、準備も不足していたろうし、保守２人、革新系１人という指定席を崩せなかった。でも、法定得票数は確保したので、供託金の60万円は取り戻した。

安中さんは定数２のところに３位。７０８９票を獲得したが、２位の人には２０００票足りなかった。残念だった。

４月14日（日）　杉並区議選に立候補している松浦たけあき氏の応援演説のため、阿佐ヶ谷駅前に行った。松浦氏は、お父さんが持丸博でお母さんが松浦芳子さんだ。持丸博は楯の会の１期生で、初代学生長。理論派で統率力もあり、筆力もあって、三島由紀夫がしきりに頼りにした時期もあった。楯の会の事務局に勤めていた松浦芳子さんとの婚約は、三島に祝福された。なので、たけあき氏の本名威明のたけの一字は、三島由紀夫の本名公威から、三島がつけてくれたそうだ。

立派な青年になって、お母さんが４期務めた杉並区議に後継として立候補した。

結果は、２９７０票余、24位で当選した。杉並は定数48で70人が立候補。候補者数が日本一だそうだ。自民党だけでも19人もいた。立派なものだ。

５月１日（水）　世間は10連休とかの真ん中。僕は、改元の初日に映画のトークに出た。令和初の仕事ではある。井上淳一監督、渡辺美佐子さん主演の「誰がために憲法はある」。ポレポレ東中野で上映中だが、毎回満員札止めだそうだ。この状況は、10連休が終わったら途切れるかと思ったら、まだ続いているとか。上映館も増えた。それだけ、憲法に関心がある、いや改憲を心配している人が多いということか。本当にいい映画だった。でもアフタートークで井上監督が言ったように、この映画に関心がない人たちにどう届けるのか、それが最重要課題だろう。井上監督は、「改元の日に鈴木さんとトークができて嬉しかった」と言っていた。

映画は冒頭、渡辺美佐子さんが松元ヒロさんのいまや古典中の古典「憲法くん」を演じる。知ってる人は知ってるだろうが、松元ヒロさんが一人芝居で、憲法になりきって「小耳にはさんだんですけど、僕ってこの頃、評判悪いんですって。僕を変えようっていう人もいるんだそうです……」と続けていくお笑いだ。渡辺さんの「憲法くん」は、笑いネタにはならなかったが、さすがベテラン女優。まったく別の味わいだった。

その後は、渡辺美佐子さんや新劇を代表する女優さん6人（日色ともゑ、長内美那子、山口果林さん等）がこの33年間続けてきた原爆についての朗読劇が、ついに終わるということで、その過程をカメラが追いかけたドキュメンタリーだ。女優たちが思いのたけを語ったり、原爆資料館にカメラが入ったり。渡辺さん自身、小学校の時に、広島の原爆で仲のよかった男の友達を亡くしていて、最後シーンは涙ものだ。

椎野レーニンさんが奥さんを連れてきていたので話をした。長身で声が大きく、なかなか感じのいい人だ。レーニンさんに言わせると「声が大きいのは耳が聞こえなくなってるから」だそうだ。

5月13日（月） この日は忙しかった。まず新宿駅東口の浪漫房という居酒屋に行った。午後7時から始まる「足立正生にヤキ入れナイトなっ！」に出るためだ。早い話が、足立さんの傘寿（80歳）を祝う誕生会だ。いつもサングラスに銀髪のカッコいい姿だから、ずっと昔からかっこよさが変わらない。でも大台になったのだ。フーム、僕もあと5年で、あんなかっこよいお爺さんになれるだろうか。たぶん、駄目だな。

広い店内が貸し切りになっていて、映画関係者とパレスチナ関係者の錚々《そうそう》たるメンバーが勢ぞろい。乾杯の音頭は、なんとロックのレジェンド頭脳警察のパンタさんだった。挨拶の最初には井浦新さんが立った。今のように人気者になる前に、井浦新さんは若松孝二監督にかわいがられ、「実録連合赤軍」や「キャタピラー」などの若松作品に出演。「11・25自決の日　三島由紀夫と若者たち」では三島由紀夫役を演じた。

昨年、若き若松監督や若松プロの様子を描いた「止められるか、俺たちを」はなんと若松孝二役で出演している。四方田犬彦さんも見えていて、久しぶりに話をした。先日、新刊を出したそうで、ますますお元気だ。寺脇研さんとは、隣通しに座った。今年の「鈴木邦男　生誕百年祭」への登壇をお願いしたが、残念ながら仕事がすでに入っているとのことだった。その他、映画業界の色々な方の挨拶があったのだが、僕はそこそこに失礼して高田馬場に回った。

この日は一水会フォーラムの日程とダブっていたが、新宿と高田馬場だったので、何とかはしごした。

この日のゲストスピーカーは、鈴木宏三さん（山形大学名誉教授）。僕の弟だ。題名は「天皇陛下の『生前退位』と昭和天皇の退位問題」。遅れて行ったが、ちょうど行ったときには象徴と元首の違いなどの話をしていて、我が弟ながら、大変参考になった。

第31回

松田妙子さんのおかげでいろんな人に会えた

『創』19年8月号

松田妙子さんのお別れ会の会場にはたくさんの写真が

このところ、体調は低位安定。ただ、歩くスピードはだいぶ速くなったと、驚かれる。いろんな検査は受けているので、そのうちまとめて報告します。

5月27日（月） ホテルオークラの別館へ行った。松田妙子さんのお別れの会が開かれたからだ。松田さんは多岐にわたって、公式・非公式に活躍した人だ。享年91歳。公式的な最後の肩書は「生涯学習開発財団」の理事長だったようだ。僕はもっぱら私的なおつきあいだった。最初に知り合ったのは、たぶん竹中労さんの集まりだったように思う。

そのとき驚いたのは、「私は三島由紀夫と付き合った」と言っていたことだ。これは他の筋から聞いたことだが、三島由紀夫は松田さんをたいそう気に入り、「あいつはコカ・コーラのような女だ」と評したという。当時のコカ・コーラの瓶は上下の真ん中が細くなっていた。これを女体のくびれに見立てたということらしい。

三島が楯の会の3名と共に防衛庁で逝った後、松田さんは「横の会」を結成した。何か行動しようというのではなく、自分の事務所で月１回、各界の著名人、研究者、活動家等々を招いて懇談する会だ。勉強会というか交流会というのか。

そこで僕は、実にいろいろな人と出会うことができた。その一人が、藤本敏夫さんだ。もと新左翼ブント系の全学連委員長を務め、僕が会った当時（昭和40年代後半？）には、歌手の加藤登紀子さんと結婚していたはずだ。藤本さんには学生運動の話をいろいろ聞きたかったが、この話題はあまり乗ってこなかった。すでに自然農法の農業など、新しい道に取り組んでいたからかもしれない。

小林興起さんに会ったのもこの会だと思う。新左翼から自民党まで、松田さんの人脈の広さがしのばれる。小沢遼子さん（元埼玉県議）、桐島洋子さん（評論家）や太田房江さん（元大阪府知事）にも、ここで紹介されたんじゃなかったかな。

そういえば太田さんは、「お別れ会」に姿を見せていた。何しろ大勢の人（６００人くらい？）が来ていたから、すれ違った人も多かっただろう。

会場中央に、松田さんの娘さん夫妻がいて、みんなが挨拶していく。壁際には、松田さんの活躍していたころの写真が何十枚も飾ってあった。

松田さんの評伝『「旺盛な欲望は七分で抑えよ」～評伝　昭和の女傑松田妙子』(鈴木れいこ著）が配られていた。僕はとっくに読んでいるが、探して再読してみよう。

6月1日（土）　不自由な体を顧みず(笑)、姫路へ行った。元兵庫県警刑事の飛松五男さんの「飛松塾 in 姫路」に呼ばれたのだ。ポスターを見たら、僕のことはレギュラーゲストと書いてあった。そうなのか、知らなかった。で、今回の本当のゲストは憲法学者の木村草太さん。司会はアイドルの八幡愛さん。この人は前にも、ここでトークしたことがある。しっかり意見を述べられる人だ。まず木村草太さんが1時間弱の基調講演をして、それからフリートーク。憲法、自衛隊などいろいろ話せて面白かった。広い会場は満員だった。

打ち上げに出て、この日は姫路泊まり。東京から介護で付き添いに来た（笑）、寅次郎君や塩田祐子さんも一泊して、翌日一緒に帰京。

6月10日（月） 実は今、僕についてのドキュメンタリー映画を撮っている人がいる。殊勝な人だ。名前は中村真夕さんといって、ドキュメンタリー作家としては国際的な賞もとっているらしい。商業映画の作品もいくつかあるようだ。その中村さんの撮影の、今日は最終日だった。僕が住まいから出かけるというシーンが欲しくなったということで、みやま荘までやってきた。

前にもみやま荘でインタビューを撮影されているが、その時はまだベッドが入ってなかった。全自動の洗濯機もなかった。この二つは、体に無理をさせないということで買ったもの。警察病院のリハビリの先生の指導だ。入り口には手すりもつけた。なんだか、終活が進んでいるみたいでいやだな。今年の8月でまだ76歳だ。毎年、阿佐ヶ谷ロフトでやっている「鈴木邦男生誕百年祭」も続けます。8月3日午後1時からです。

今年の第1部のゲストは、もし参議院選が終わっていれば、山本太郎さんと蓮池透さんが出てくれることになっている。「れいわ新選組」の二人から、裏話など（表話も）たっぷり聞きたい。衆参ダブル選挙になると、投票予定日は7月28日になるらしい。これだと山本さんは忙しいかな。生誕祭のためには、ダブルにならないことを祈ろう。

６月12日（水）　一水会フォーラム。ゲストがたけもとのぶひろさんだった。なぜか、最新刊の書籍『今上天皇の祈りに学ぶ』では、著者名が平仮名だ。竹本信弘。滝田修といった方が通りはいいかもしれない。１９６０年代後半から燃え盛った学生運動のカリスマの一人だが、独特の存在感を発揮した人だ。新左翼のセクトには属していなかった。京都大学のドイツ社会思想史の若手研究家だったが、学生運動に積極的に支持の発言をした。いや、支持というより、過激派の教祖として、リードしたというべきか。

僕も、当時から名前はよく知っていたし、京都大学の自立した自由な運動には憧れていた。ああなりたいと思っていた。滝田修としては、その後、自衛隊朝霞駐屯地で起きた自衛隊員殺害事件の黒幕として手配され、地下に潜行。『只今潜行中・中間報告』なんて本も出したりした。

その人が、昭和天皇の退位に関するビデオメッセージや、他のところでの「お言葉」を分析し、評価し、敬意を払ったのが、先ほど紹介した『今上天皇の祈りに学ぶ』（明月堂書店）だ。本当に素晴らしい本だ。この本を〝元滝田修〟が出すのは勇気がいったことだろう。読みもしないくせに「滝田は転向した」「滝田は終わった」なんてバッシングが起きるのは目に見えている。浅薄この上ない人々は、ネトウヨに限らず、左翼にもいる。

内容をかいつまむと齟齬《そご》が出るといけないので、ぜひご自分で読んでみたらいい。滝田さんは同じ姿勢を貫いた上で、天皇陛下のお言葉を咀嚼《そしゃく》し、評価しているのがわかる。僕はたぶん、50年ぶりくらいにお会いするのではないかと思う。79歳といわれたが、声も大きく、お元気だ。

講演では、難しい政治用語や左翼用語はまったく使わず、一般社会の言葉で話された。テレビの制作会社などをやられていたから、それは当たり前かもしれない。嬉しかったのは、天皇観を形成するにあたって、僕の『天皇陛下の見方です　～国体としてのリベラリズム』が大変参考になったと話されたことだ。

打ち上げの席では、ある若い人から「世界観が難しい」という声も出たが、それでいいのだと思う。ああいう人に接して、直に話を聞くことが、若い人の糧となる。そういう意味じゃ、竹本さんを講師に招いた木村代表に感謝だ。

6月17日（月）　打ち合わせがあって高田馬場のレーニン事務所に行ったら、なんとなんと！　アーチャリーこと、松本麗華さんが現れた。父上の処刑の後、元気をなくされたと聞いていたので、びっくりだ。僕に相談事があるとかで、レーニンさんがこの日に設定したのだが、用件そのものはもう解決したとか。ひたすら近況を報告しあった。

まだ、公安調査庁に対する名誉棄損の民事裁判を抱えていて、何かと気ぜわしいらしい。この裁判は6月25日には判決らしい。これが読者に目に触れるころには終わっている。どうなることか。

ある所に勤め始めたが、父親が麻原彰晃と知られた途端、もう来なくていいと言われたとかで、それは弁護士通しの話し合いが行われるとのこと。でも、新しいことを始めたいということで、気力が充実しているのか、思いのほか元気だったので安心した。

6月18日（火）　武蔵野美術大学三鷹ルームで開かれた、「地球永住計画～賢者に訊く」のゲストに呼ばれ関野吉晴さんとトーク。

関野先生は、グレートジャーニーの経験を活かして、「地球永住計画」という名のもとに、公開講座、ワークショップ、フィールドワーク、アート作品展示など、さまざまなことを実践しているが、そのうちのトークイベントのゲストに呼ばれたのだ。

関野先生は開口一番、僕の『天皇陛下の味方です　～国体としての天皇リベラリズム』を示して、面白い本なので、これを肴《さかな》に対談をすると宣言。僕は関連して、この前一水会フォーラムで話したばかりのたけもとのぶひろ（滝田修）さんの『今上天皇の祈りに学ぶ』を紹介して、この本の勇気をたたえた。１９７０年代には過激派のカリスマだった人が、天皇陛下のお言葉を分析し、評価しているのだ。かつての同志諸君からはなんと言われたか。僕も他人事じゃないから予測がつく（苦笑）。

ただ、この会は先生のファンが多いためか、話はすぐ先生が訪れた国々の話に脱線。ブータン、ネパール、そしてもちろんアマゾンの話など。僕も、ダライ・ラマを訪ねて行って、話をしたことを披露した。

質疑応答の時、一人の男性が、「たけもとさんが平成天皇個人を尊敬するのはわかる。僕も同じだ。しかし、天皇制そのものについてはなんと言っているのか？」と聞いてきた。この本の中では制度についての言及はないのでそう答えたら、「では鈴木さんご自身に同じ質問をぶつけたい」ときた。直球だな。僕は天皇制はあっていいと答えた。戦後処理がうまくいったのや、いま滝田修のような人がこんな本を書けるのも、天皇制の果実だと思う。この答えに、関野さんは納得顔はされてなかった。

関野先生に会うのは、ムサビの本校で、山本太郎さんとトークをして以来か。あのときも午前・午後は学生を相手に、そして夕方は一般の方へも公開してやったので、朝の９時に大学に入って、最後の打ち上げが終わったのは11時近かった。

第32回

新宿梁山泊の芝居のあと現れた人物とは！

『創』19年9月号

6月22日（土） いやぁ、凄いエネルギーに圧倒された芝居だった。休憩を二度入れて、7時から10時近くまで、魅入られた。そして最後にサプライズが！　新宿花園神社で見た新宿梁山泊「蛇姫様」のことだ。唐十郎さんが40年くらい前に初演したものを、金守珍さんの演出で再演。主演は唐さんの子息、大鶴義丹さんだ。

去年、やはりこの時期に新宿梁山泊の芝居を見た。やはり唐十郎作で、大鶴義丹さんが主演した。感銘を受けて、ブログ（「鈴木邦男をぶっとばせ」）に書いたら、義丹さんがご自身のブログに引用したらしい。それで今年もぜひ見てほしいと言ってるということを、大久保鷹さんが伝えてくれた。

いやぁ、今年も期待にたがわぬ芝居で、ほんとに圧倒された。テントの客席の真ん中に、いつもは役者が出入りする花道のところに、なんと水が張ってあって、そこに役者が飛び込んだりするから、横の観客のためにビニールの布が用意されていて、ザブンとなりそうになると、観客が一斉にビニールの布をかぶって身を守る。そうそう、「タチションベン」という役の人は、股間に構えたポンプか

唐十郎さんと筆者

ら小便（に見立てた水だけど）をまき散らすから、それもよけなきゃならない。義丹さんも、空中につるされて水を浴びるし。若い女性陣の歌と踊りはあるわ、そうそう、幕の初めには中山ラビさんがギターを弾きながら、あのドスの利いた声で歌を歌う。

芝居というのはほんとに贅沢《ぜいたく》なものだ。あれだけの大きな小屋がけをして、役者とスタッフ（たぶん100人にも及ぶかも）が数カ月も稽古《けいこ》して、公演が終われば、それらは消えてなくなる。いや、見た人、その場に居合わせた人の頭の中に、残り続ける。それで潔しとする姿勢には、頭が下がる。

そして、サプライズだ。最後の役者紹介のとき、花道の溝の上に板がかけられ道が作られたかと思うと、金守珍さんが「今日は作者の唐十郎が来ています！」。えー、と会場の驚きの声。スタッフに肩を抱えられて、唐さんが登場した。

「この芝居は今日で5回目です」と短めだったが、しっかり挨拶。自分の作品を息子が演じているのを見るのはどんな気持ちなんだろう。打上げにも残ったので、話をさせていただいた。天井桟敷との喧嘩の経緯、影響を受けた劇作家等々。

話していたら、大鶴義丹さんがやってきた。義丹さんは唐さんに向かって「ちゃんと見てくれましたか」と敬語で話す。唐さんも「よかったよ」と答えるのだが、親子というより劇団の創立者と継承者の会話みたいでおかしかった。

唐さんは、去年、自宅付近で転倒して頭に大けがを負ったとかで、この日も、スタッフに体を支えられての登場だった。僕も、去年、転倒して以来、体は思うようにならない。互いに頑張ろうと、心の中でエールを送った。

いま頑張っている劇団は、だいたいは唐さんの流れと寺山さんの末裔《まつえい》のように思える。もちろん僕の寡聞《かぶん》のためだろうが、それだけ状況劇場と天井桟敷はすごかったということなのだろう。

エキサイティングな一夜だった。

6月24日（月） この日も芝居を見た。これも僕にとってはおなじみの劇団再生だ。やはりおなじみのプレトークにも出て、作・演出の高木尋士さんと対談をした。

この日の出し物は、やはりこの劇団の最高の当たり狂言「二十歳の原点」だった。高野悦子さん原作のこの作品を、高木さんは何度も何度も公演してきた。去年、考えるところがあって封印を宣言したが、今回は特別の再演（というか再々再々再々再々再演？）だった。というのは、去年亡くなった千賀ゆう子さんを偲《しの》んでのものだからだ。

千賀さんは生前、「この芝居はやりたくないのよ」と言っていたそうだ。あまりにも身につまされるからのようだ。

僕は千賀さんとは、同じ時期に早稲田大学に在籍していた。政治的立場を異にしたから、知らなかった。ここ数年、高木さんを通じて知り合い、彼女の芝居「平家物語」の一人語りや、坂口安吾原作「桜の森の満開の下」も見に行った。最後に見た芝居もこれだったが、少し体調は悪そうだった。こういう人と会えるようになったのは、早くから右翼の運動を首になったおかげ（？）だ。

6月28日（金） 先月、1年ぶりに松本麗華さんに会ったということを書いたが、今日も会うことになった。やはりレーニン事務所で会った。麗華さんは、親などの犯罪のためにバッシングされた子供や、その他、いろんなことで苦しんでいる人たちとの交流・アドバイスなどを目的とした一般社団法人を立ち上げたいとのこと。

それで、やろうとしている一般社団法人には理事が３人必要なので、僕とレーニンさんに就任を頼むために、レーニン事務所に来たのだった。僕には理事長をやってくれという。もちろん承諾した。同席していた杉山寅次郎も引き受けるという。ありがたいことだ。

麗華さんは、今度の僕の生誕１００年祭にも出てくれる（と言っても生誕祭は8月3日なので、本誌が出るころには終わっているが）。その告知をしている阿佐ヶ谷ロフトの記事には松本麗華（ａｋａアーチャリー）と書いてあった。ａｋａって何だろうと思ったら、as known as の略だそうだ。かつて〜として知られていた、というほどの意味だ。勉強になった。鈴木邦男（ａｋａ 新右翼）なんて……これはどこぞのお笑い興行の社長がすべったみたいな、悪い冗談だな。反省。

7月6日（土）　飛松五男さんが姫路から上京されて、稲城市のｉプラザという所で講演会があるというので、京王相模原線に乗って行ってきた。あまり行ったことがない場所だったので、心配した寅次郎が一緒に来てくれた。主催は警察や冤罪に詳しいジャーナリスト寺澤有君。人数は少なかったが、吹田市で起きた関西テレビ常務の息子による交番襲撃事件へのマスコミや警察批判、歯に衣を着せぬ批判が続々。

テレビに出てコメントする元警察関係者の中で現場に真っ先に駆け付けたのは飛松さんで、その他には一人しか来なかったそうだ。その他にも、警察の不祥事で明らかになっているのは5％程度、警察の中には薬物の密売組織もあるなど、飛松節が炸裂《さくれつ》。ここには書けないこともたくさんあって、会場は沸いた。打上げにも10名余りが参加。飛松さんの本にサインを求める人も何人か来た。

7月8日（月）　一水会フォーラム。講師は経済学者の菊池英博氏。日本金融財政研究所所長という肩書らしく、グラフや資料をふんだんに使った、しかもそれらがちゃんとレジュメとして配られていて、よくわかった。アメリカの年次要望書の話と、小泉改革がデフレを促進し、日本の経済成長を止めた話、その他いろいろ。消費税は基本的に反対で、これに頼らなくても税収増になる経済政策はあると言っていた。わかった（ような気になった）。面白かった。

7月9日（火）　この日は忙しかった。まず高田馬場のレーニン事務所で、朝日新聞出版新書の編集者と会い、新しい本の企画の打ち合わせ。木村企画の木村隆司さんが熱心に企画を立ててくれた。興味深いテーマを与えられて、本当にありがたい。「この本が終わるまでは死なないでくださいよ！」とレーニンさんにおちょくられた。

この後、中野区役所に行って印鑑証明をとろうと思ったのだが、登録証を忘れていった。とほほ。明日また足を運ばなきゃならない。いいリハビリと思うことにした。

それで、次の日に行ったら、参院選の期日前投票もやっていたので、済ませてきた。

7月20日（土）　寅次郎や塩田嬢に付き添われて（?・）大阪へ行った。大阪弁護士会館で開かれた「和歌山カレー事件を考える人々の集い」主催のイベントだ。7月25日がくると、事件発生以来21年になる。

僕は三浦和義さんの後を継いで、「林眞須美さんを支援する会」の会長になっているから、行くのは当然だし、寅次郎も、この会の熱心な運動家の一人だ。そもそも僕と寅次郎が知り合ったのも、この会で顔を合わせたのが最初だ。

僕が体調を崩して以来、彼にはお世話になりっぱなしだ。なにしろ家が近い。自転車だと5分で来られる。だから、なにくれとなく、面倒を見てくれる。これも家の近さの不運と思って諦《あきら》めてもらうほかはない。

2時から始まった集会は、まず弁護団報告。二つの訴訟が進行中と説明した。一つは刑事裁判で、再審請求の大阪高裁即時抗告。二つめが民事裁判で、裁判で有罪の根拠とされた中井鑑定のインチキさに対する損害賠償請求だ。この鑑定のために有罪とされて被害を受けているということだ。

それから、会長挨拶。つまり僕だ。三浦さんから引き継いだことなどしゃべり出したら長くなって、いいスピーチではなかったろう。言い忘れたが、司会進行は寅次郎が務めた。

第2部のメインは、京都大学の河合潤先生の特別講義。①眞須美さんの家のヒ素と、カレーなべに混入されたヒ素が違うものだという鑑定について解説した。また、眞須美さんの髪の毛から検出されたというヒ素の疑問性についても話された。

最後の質問コーナーでは、事件のことを近頃知ったという女性が、素朴な質問をいくつかした。①インチキ鑑定の責任は問われないのか？　これは民事で争っていると弁護士さんが回答。②なぜカレーにヒ素を入れたのかという疑問。これについては、刑事裁判でも「動機は不明」とされていると説明。③なぜ、林眞須美さんの家に、猛毒のヒ素なんかあったのか？　これについては眞須美さんのご主人から答えていただきましょうと促されて、林健治さんが答えた。「和歌山近郊では白アリの駆除にヒ素が使われているのは珍しくない」とのことだった。

なかなか充実した会で、参加された100人以上の人も満足したことだろう。

第33回
山本太郎さん登場で満席鈴木邦男生誕百年祭

『創』19年10月号

生誕百年祭の楽屋で山本太郎さん（右）、松本麗華さん（左）と

7月25日（木） 新宿K's Cinemaで映画を見た。伊勢真一監督の「えんとこの歌　寝たきり歌人遠藤滋」。重度の身障者、遠藤滋さんの部屋のベッドにカメラを据えたドキュメンタリー映画だ。寝たきりで、言葉もろくにしゃべれない遠藤滋という71歳になる男と、彼の命を、24時間・365日、支え続けるボランティアの学生、主婦、留学生……。こう書くと、ヒューマニズム臭ぷんぷんで映画としては面白くなかったり、あるいは〝泣かせよう、感動させよう〟という作品という先入感を持つかもしれないが、全く違う。見終わると、本当に心が嬉《うれ》しくなる。素晴らしい人間賛歌のドキュメンタリーだ。

見たきっかけは、前日、この映画を見た椎野レーニンが感激して、「鈴木さんも是非」と奨《すす》めたから。寅次郎と一緒に見に行った。いやあ、彼が今まで奨めた映画は外ればかりだったが、唯一これは例外だった！

7月26日（金） 昨日、映画を見終わって監督と話をしたら、今日、渋谷ロフト9で、この映画を見てトークをするイベントがあるというので、寅次郎と一緒に出掛けた。トークには伊勢真一監督、映画に出てくるボランティアの一人、谷ぐち順さん。この人は腕に入れ墨を入れたロッカーで、映画でギターをかき鳴らして歌っている。進行役はイラク取材で有名な綿井健陽さんと、イベントの主催者・渡辺勝之氏。行ってよかった。

打ち上げにも参加。スピーチを求められたので、「今まで見た映画では、ベンハーとこれが最高」と挨拶した。大げさではない。本当にそう思う。この映画がヒットしないようじゃ、日本も終わりだ。谷ぐちさんは「身障者だから我慢しろ、とか何かをあきらめるというのは絶対に違う」と熱のこもったスピーチ。遠藤さんと接していて、そう思ったのだそうだ。遠藤さんは何事もあきらめない。電話の受話器を頭の横に置いてもらって、よく回らない舌で、区役所の人と必死に交渉したりする。

この日は、3年前に相模原の障害者施設「津久井やまゆり園」で起きた障害者殺傷事件のその日。重度身障者は周りを不幸にするだけとか、話せない人を殺したとかという犯人の主張がいかに薄っぺらなものか、この映画を見ればよくわかる。遠藤滋さんは、今は言葉はほとんど話せない。だけど介助に来るボランティアは皆、「えんとこ（遠藤さんの所、でもあるし縁が結べる所でもある）に来てよかった」「充実した時間を得た」「生きることの意味を知った」と、楽しそうに語る。40年以上の間に2000人のボランティアが〝えんとこ学校〟を卒業したという。みんながみんな、右のように考えられたわけではないだろうが、少なくとも遠藤さんが周りの人々の負担になっているだけではないことは、よくわかる。遠藤さんに直接の生産性はないかもしれないが、こういう人に税金をかけて援助しなければ、他にどんな有効な使い道があるというのか。

れいわ新選組が主導して、国会でこの映画を上映したらいい。

この前に「えんとこ」という作品があって、20年前に遠藤さんの姿を捉えたものだそうだ。これも見たい。この時点では、まだ話せたそうだが、「えんとこの歌」に映される遠藤さんは、口を押えてもらって発音を確保して、それをパソコンに打ってもらって、意思を確認したりする。

もうひとつ、20年前との違いは、短歌を作り始めたことだ。絶叫歌人・福島泰樹さんの弟子で自分でも短歌を作るレーニンさんは、「思ったことをてらいも技巧もなく、率直に言葉に置き換えて伝えている。それが他人の心を打つ。短歌ってこれでいいんだ。表現って、もともとこういうものだ」と感動したという。

僕には短歌のことはわからないが、メッセージや感情の吐露としては、本当によく伝わる。映画のパンフには、遠藤さんの短歌がたくさん載っている。僕が好きなのは、こんな作品だ。

○障害の身にあればこそ手を借りて創造的に我は生きたし

○言ひたきを無声音にて一心に言へども単語も言ひ切れずをり

なんと恋の歌まであって、

○手も足も動かぬ身にていまさらに何をせむとや恋の告白

○若ききみ悩ますことに躊躇ありされどわが心隠す術なし

客席には、映画「日本国憲法」を撮ったジャン・ユンカーマンさんも来ていた。何年ぶりかな。それから、前に一水会の事務所で働いていた島野さんにも、久しぶりに会った。今、原一男監督のもとで、山本太郎さんのドキュメンタリーを撮っているとか。これも楽しみだ。

7月28日（日）　この日も伊勢真一監督の出たイベントに行った。京王相模原線の終点・橋本のソレイユさがみで行われた「津久井やまゆり園事件を考え続ける・対話集会Ⅱ」だ。今日も寅次郎が一緒に来てくれた。

第1部は伊勢真一監督と、やはりドキュメンタリー映画を撮っている大河原明子監督の対談。お2人の作品、伊勢さんは「やさしくなあに」、大河原監督は「げんちゃんの記録」を、ところどころ映しながら、トークは進む。伊勢監督の映画には、やまゆり園の事件のことを知った遠藤滋さんが怒っている様子も収められていた。犯人は、主義主張から20人近い人間を殺《あや》めたわけで、本当にそういう人間が実在するということにぞっとした。

第2部のシンポジウムには、3人のお母さんが登壇。やまゆり園に通っていた方のお母さん、伊勢真一監督の映画「やさしくなあに」に登場する西村奈緒さんのお母さん、そして知的障害があるお子さんを持つお母さん。司会進行が浅野史郎さんだった。伊勢監督とは4日間で3回も会ったことになる。大変喜ばれて、お礼の手紙と映画のチラシを送っていただいた。寅次郎の所にも来たそうだ。

8月3日（土）　今年も鈴木邦男生誕百年祭をやった。最初の主催者だった白井基夫君によると、今年は10回目に当たるらしい。

今年のゲストは、第1部が山本太郎さんと蓮池透さん。「れいわ新選組かく闘えり」がテーマ。山本さんの予定のめどがなかなか立たず、司会進行のレーニンさんもヤキモキしたらしいが、事務所の引っ越しで忙しい中、時間を割いて来てくれた。チケットがソールドアウトになったのは、山本太郎人気だろうから、本当に感謝だ。僕は、昨年、グレートジャーニーの関野吉晴先生の武蔵野美術大学の授業で山本さんを招いた時に聞きに行ったとき以来だ。

白Tシャツでさっそうと現れた山本太郎さん。30分だけという予定だったが、会場からの質問などを受け付け、40分以上はいてくれた。会場の皆さんとの質疑応答で最初の質問が発達障害の方からの質問で、外見は障害者に見えないことの悩みへの対策を考えてくれというもの。山本さんは、「初めての事例なので」と少し考えていたが、真摯《しんし》な態度だったので、質問者もお礼を言っていた。

「自分は入れ墨を入れているが、ラグビーのワールドカップや、来年のオリンピックなどでは、入れ墨を入れた外国人がたくさん来るが、日本は遅れているのではないか?」という質問には「僕も入れ墨は好き。入れ墨はアートだと思う」と答えていた。

その他、それぞれ違った角度からの質問に、誠実に答えていて、帰る時には大きな拍手を浴びていた。おりしも雑誌『情況』２０１９夏号に、「山本太郎の経済政策」という署名論文が載っていたので、出版社が20冊を会場の皆さんに提供してくれた。たちまちなくなった。

山本さんがいなくなった時点で、これも「出席予定」と予定付きだった森達也さんがすでに楽屋入りしているとのことだったので、すぐ登壇してもらった。何を話したか、あまり覚えてないが、第1部の最後に、司会進行のレーニンさんが「次の衆院選で、れいわ新選組から出てくれと言われたらどうしますか?」と森さんに聞いたら、「出ません。興味がない」とバッサリ。

第2部はアーチャリー(松本麗華)さんが登場。「被害者の家族には厚いケアがあるが、加害者の家族は何もない。苦しんでいる人もいると思うので、悩みを共有できる会を作りたい」と表明。具体的に話は進んでいて、一般社団法人化する。「ついては理事長をやってくれ」と僕が頼まれた。もちろん承諾した。第2部の最後は、パンタや飛松五男さん、連合赤軍関係の植垣康博さんと金廣志さん、映画「望むのは死刑ですか」の監督長塚洋さん、そしてロフトからは席亭平野悠さん、梅造社長にも上がってもらって、賑やかにフィナーレ。

8月15日（木）　ロフトプラスワンで高須基仁さんの出版記念会。『ボウフラが女肌《はだ》を刺すよな蚊になるまでは、泥水呑み呑み浮き沈み』という長いタイトルなので、とても覚えられない。

数日前にロフトの梅造社長から、この日、絶対に来てくださいという誘いの電話があった。行ってみたら、確かに高須さんの体調は悪そうだ。車椅子で来ている。ただ体調は多少悪くても、毒舌は絶好調。この日も、僕はよくわからぬがマッコ・デラックスについて、怒っていた。

会場には、元叛旗派の三上治さんやロフト席亭平野悠さんらも駆けつけて、広い会場がほぼ満杯。高須さんはいつも終戦記念日に反戦イベントをぶつけているが、今年も「戦争反対」に加え「憲法を守れ」と気勢を上げていた。いいのかな、学生時代にはゲバ棒持って暴れたり、丸太抱えて防衛庁に突入してた人なのに(笑)。

8月17日（土）　ザムザ阿佐谷で有末剛緊縛夜話。今回は、快楽亭ブラック師匠とストリッパー牧瀬茜さんを迎え、第1部は、ブラック師匠が舞台に現れ、「牡丹灯籠」の「お札はがし」をやりながら、牧瀬さんが踊る。ところどころ、話の主人公、お露のセリフをつぶやいたりも。第2部は、ブラック師匠が「播州皿屋敷」を語りながら、有末剛さんが牧瀬さんを緊縛していく。緊張感と笑いの不思議なステージだった。次回の緊縛夜話には、作家の山口椿さんが登場するというから、行かなくては。

第34回

東尋坊の用心棒や恐竜と会う

『創』19年11月号

8月22日（木）　文京区民センターで行われた「『表現の不自由展・その後』中止事件を考える」にパネラーとして参加。『創』はいつもタイムリーな対応でシンポジウムを開く。今回も400名以上の人々が詰めかけ、ぎっしりいっぱいだった。

第1部には、この「表現の不自由展・その後」に出品していたアーティストが出て、出展したのに3日間で見られなくなった作品について、映像などで報告。中国の従軍慰安婦の写真を出品した安世鴻さん、マネキンフラッシュモブというパフォーマンスを各地で行っている朝倉優子さんなど。「表現の不自由展・その後」の企画の実行委員会の2人も登壇。2人を含めた実行委員会には、中止にしたいという意向は伝えられていたが、大村秀章・愛知県知事の最終決定については何ら事前に通告もなく、記者会見の放送で知ったと言って怒っていた。大村さんも、河村たかし名古屋市長の「日本国民の心を踏みにじるよう」だから中止にしろという一連の言動に対し、「憲法違反の恐れがある」と批判するくらいなら、もっと頑張って続ける道は探れなかったのだろうか。

福井駅に夜な夜な出現する恐竜

ともかく、幻になりかかる作品を、映像でだが見せてもらえて、とても有意義だった。今回の中止の要因となった大浦信行さんの版画「遠近を抱えて」も何枚かが大写しになった。大浦監督は「映画を全編見てもらえれば、決して天皇批判のものではないとわかるはず」と発言した。

第２部は、論客が揃ったのに、第１部が活発に発言され延びたため、一人一言、それも制限時間３分と釘を刺された。一人も守らなかったけど。森達也、金平茂紀、香山リカさんなどと共に僕も発言。この前見たドキュメンタリー映画「えんとこの歌　寝たきり老人・遠藤滋」を紹介しながら、「今回は予想可能な事態だったにもかかわらずあっさり引き下がった印象があり、主催者の覚悟ができていたのか」と訴えた。

熱気のこもるイベントだった。この問題は、その後まだまだいろいろ動いているから、目が離せない。

8月25日（日）　福井県立恐竜博物館に行った。福井県の勝山市にある。僕は10年前にも行ったことがあるが、現在金沢に転勤になっている岩井正和さん（大検講師）が北陸にいるうちに、現地勉強会と観光を組み合わせる旅を企画しようということで、すでに金沢市や富山市で実施している。今回は福井だったわけだ。

福井は恐竜の町おこしをやっているようで、福井駅には夜な夜な恐竜が出現する。その証拠に、写真を見てほしい。駅舎に怪しい影がちゃんと映っているではないか……。このことを英語で言うとプロジェクションマッピングというらしい。英語力がない僕には、とんとわからない。

福井駅で、岩井さんや、今回も参加してくれた元兵庫県警の飛松五男さん、そして和歌山から参加の下中忠仁さんと合流。こちらは寅次郎君が東京から付き添ってくれた。いつもながら、すまないねぇ寅さん。

県立博物館の館長さんとは、岩井さんは顔見知りらしく、親しそうだ。

いやぁ、楽しい展示でいっぱい。特にティラノサウルスの全身骨格には圧倒される。こんな巨大な生物が跋扈《ばっこ》していたら、他の生物は生きた心地もしないだろう。でも恐竜は絶滅したんだ。戦艦大和も沈んだし、ニューヨークの世界貿易センタービルも倒壊した。こういうことと比べては不謹慎かもしれないが、巨大なものの最後ということで、つい連想してしまった。

次に僕が来る時までにはIPS細胞とかで本物の恐竜を再現してほしい。ジュラシックパーク福井版が見たい。

夜は勉強会。今回は歴史を離れ、参院選の結果などについて、意見交換した。

8月26日（月） 足を延ばして、東尋坊まで行った。ちょっとした土曜ワイド劇場気分だったが、いや遠い。駐車場に車を駐めてから、岩だらけの細道を上がったり下ったり。東尋坊は俗に自殺の名所として知られているが、海へ突き出たへさきまで行くのは並大抵じゃない。僕の今の体力ではとても最後まで行けず、手前の展望台でお茶を濁した。寅や下中さんも、もうちょっと先まで行ったが、へさきまでは到達できず、唯一、飛松さんが見事にゴール。若い時の鍛え方が違うんだろうなぁ。

なんと、ここで飛松さんの知り合いと会った。元福井県警の警部を務めていた方で、飛松さんとはテレビ番組で知り合ったらしい。お名前が茂幸雄さん。飛松さんはシゲさん、シゲさんと親しそうに呼んでいた。このシゲさん、地元でおろしもちの店を出しているのだが、店名の大きな幕の左側には

「ＮＰＯ法人・サポートセンター」という字が見える。

　そう、シゲさんは自殺の名所・東尋坊で、自殺しそうな人を見定めて、思いとどまるよう説得するボランティア活動を担っているのだ。「いままで５９９人に声をかけましたよ」と本人。声をかけ、店に連れて行って、話をするそうだ。きっと、おいしいおろしもちを食べているうちに、その気が失せるんだろう。

「そういう人は、うちに帰った後に、自殺したりしないんですか？」と聞いたら、「ほとんどいない」との答え。理由を聞いたら、ここでまず自殺しようと思った事情を聞いて、「原因から取り除く」という。どういうことか？　つまり自殺志望の理由が家庭内暴力だったら、一緒にご本人の家まで行って、ご主人に会って話をするとのこと！　ひぇー、そこまでやるんだ。驚いた。そういう時、元警部という肩書は役に立つんだろう。いきなり訳の分からないＮＰＯの名前を名乗られたって、「なんであなたに答えなきゃならないの」となりそうだ。元警部なら、なんとなく信頼できそうかなと思えてくるんじゃないかな。第一、修羅場の経験者じゃないと、わざわざ遠くまで訪ねて解決しようという意欲がわかないだろう。世の中、すごい人がいるもんだ。

　ここにはもう一人、変わった人がいた。東尋坊から飛び降りるパフォーマンスをしている男性。その人も、なんと飛松さんの故郷、鹿児島県阿久根の後輩だそうだ。もう70歳くらいの年齢だと思うが、体は日に焼けて真っ黒。海パンで飛び込むのだから、色の黒さはわかる。東尋坊の一番鼻っ先（僕が行けなかったところ）から飛び込む。切り立った崖の上に立つだけで恐いだろうに、１日何回もやるらしい。およそ30メートルくらいの高さ。東尋坊を見るクルーズがあって、僕らも乗ったが、その船に手を振って、ザブーンと行く。

いろんな人に出会えた福井遠征だった。


9月1日（日） 新宿のロフトプラスワンに「林眞須美死刑囚の長男と迫る！　和歌山カレー事件の真実と黙っていた『家族』のこと」を見に行った。先だって『もう逃げない。～今まで黙っていた「家族」のこと』を出版した林眞須美さんの長男と、『「毒婦」～和歌山カレー事件20年目の真実』の著者田中ひかるさん（歴史社会学者）のトークイベント。林眞須美さんの長男は、顔出しで人前に出るのは初めてのことという。当初はサングラスにマスクで出ようと思ったが、ロフトにくるお客を信用して、写真撮影こそ禁止になったが、堂々と素顔をさらしての登壇だった。

本にも書かれていたが、ある日突然、たたき起こされたと思ったら、家中は警察官だらけ。母が逮捕されたらしいとは思ったものの、突然荷物をまとめろと言われ、どこか知らないところに連れていかれた。後からそこが児相（児童相談所）だとわかったという話や、自分の身元がばれた時の、児相や学校でのさまざまないじめの話は聞いていてつらかった。

田中さんは、京大の河合潤先生が、カレー鍋に入っていたヒ素と林家のヒ素は同じものではないと鑑定し、裁判での鑑定が揺らいでいる話を紹介した後、「正直、私は林さんが無実かどうかはわからない。でも、矛盾する要素がいろいろあるのに、死刑判決が下っていることはおかしい」と述べた。最後に僕や『創』の篠田編集長もスピーチを要請され、僕は本が素晴らしかったこと、母親や父親に対する〝冷静な信頼〟は素晴らしいと、感想を述べた。


9月10日（火） 白井聡さんと対談のトークイベントに出た。主催が城北法律事務所という所。弁護士が30人近くいるとかで、池袋の会場は満員だった。２００人ぐらいはいたんじゃないかな。一法律事務所で、これだけ人を集めるんだから、すごいな。

テーマは「オリンピックから改憲へ⁉　～深まりゆく対米従属から抜け出す道は…」。

白井さんの論理明晰《めいせき》・言語明瞭なトークには、聞きほれた。内容は『国体論　菊と星条旗』に書かれたことだったが、若いのに、本当に頭のいい人だ。そして毒舌（というか率直な物言い）にもますます磨きがかかって、満場をわかす。

「ああでも言わないと、もう耐えられないですよ」と打ち上げで、怒りながら嘆いていた。この法律事務所は、年に1～2回、こういうトークをやっているらしいから、また聞きにいこう。

9月15日（日）　朝日新聞社の中の朝日ホールのコンサートに行った。田月仙（チョン・ウォルソン）主演の「オペラ『カルメン／日韓の歌』」。

チョン・ウォルソンさんの舞台は、二度目だ。前の時は、朝鮮王朝に嫁いだ梨本宮方子さん（李方子妃）を描いたオペラだった。今回は、カルメンの主要シーンを男女2人ずつで歌う。当たり前だがみんないい声だ。カルメンのストーリーを初めて知った。最後の殺傷はああゆうふうだったんだ。勉強になった。

第2部は、日本と韓国の童謡を歌う。月の砂漠をバリトンの日本人の人が歌ったが、声も朗々とした音量ももちろん素晴らしかったが、この歌こんなにいい曲だったんだと改めて思った。新アリラン、よかった。日韓親善はオペラでやればいい。

第35回

ドキュメンタリー映画「愛国者に気をつけろ！」

『創』19年12月号

宮崎学さん(中央)、一水会・木村三浩代表(右)と

活動報告の前に、宣伝を。なんと、僕のドキュメンタリー映画が完成して、2020年2月1日から、ポレポレ東中野で上映されることになった。監督は中村真夕という女性で、コロンビア大学大学院を卒業。ニューヨーク大学大学院映画科で映画を学んだ。2011年には「孤独なツバメたち～デカセギの子どもに生まれて～」で、ブラジル映画祭ドキュメンタリー部門のグランプリを受賞。15年には、福島の原発20キロ圏内に一人で動物たちと暮らす男性を追ったドキュメンタリー映画「ナオトひとりっきり」も撮った。

中村監督のことは、お父上を先に知っていた。ジャーナリスト専門学校があったころ、僕とお父上こと正津勉さん（詩人）は、どちらも講師を務めていた。そのころ、話に聞いていたから、彼女の作品「孤独なツバメたち」を見た。いい映画だったので、今回の申し出にOKした。この話は、次号でもう少し詳しく書こう。

10月8日（火）　一水会フォーラム。講師は宮崎学さんだった。宮崎さんとは早稲田大学で右と左でぶつかっていた。今回は久しぶりだ。僕がいたからか、話の内容もその頃の学生運動の話も出て、懐かしかった。

この日、僕が岩波書店から出したブックレット『〈愛国心〉に気をつけろ！』をどさっと持ってきて、サインを求めた人がいた。杉山寅次郎君（ぷー太郎かな？）が言うには30冊くらいはあったようだ。一生懸命サインをしたら、なんとその場で希望者に配っていた。奇特な人もいたものだ。

10月9日（水）　飯田橋のアンスティチュ・フランセ東京に、「映画『絞死刑（監督：大島渚）』&作家・平野啓一郎とディスカッション」という長い名前のトークイベントに行った。この日は〝世界死刑廃止デー〟に当たるようで、毎年、ここではイベントがあり、フランス大使館からも挨拶があった。さすが死刑を廃止した国だけのことはある。

フランスが死刑を廃止したのは１９８１年のことらしい。その時点で、世論は死刑存置派がおよそ８割くらいだった。それなのに、死刑廃止に踏み切ったのは、時の法相バダンテールさんの英断だ。バダンテールさんなんて、さん付けで呼んだのは、来日した時に東大駒場で講演会があり、それを聞きに行って、感銘を受けたからだ。

バダンテールさんはこう言った。「命の大切さについては多数決で決めるものではありません」「政治家が国民をリードしていく問題です」

これだけの信念を持って、実際に死刑を廃止したのだから、大したものだ。

僕は元々、生長の家の会員だし、高校もミッション系だった（本当です）ので、死刑はない方がいいとは思っていたが、ここまで信念をもって行動はできなかった。日本も世論調査では「死刑賛成派」が多いようだが、よく考えて結論を出したというより、なんとなく現状維持でお茶を濁しているのではないか。

この日のシンポジウムでも、作家の平野啓一郎さんは、「当初、死刑反対と声高に主張するまではできなかった。でも、尊敬する欧米系の作家や思想家はほとんどが反対派だったので、考えるようになった」と言っていた。それで『ある男』という小説を書き、考えたそうだ。この小説は、加害者の家族、そのないがしろにされがちな権利・人権の問題がテーマだという。シンポジウムでその話を聞いて、翌日、買い求めて読んだという寅次郎君は「加害者の子どもという立場がいかに辛いものかを、サスペンスタッチで描いて、ストーリーがどうなるかとともに、涙なしではとても読めない本でした」と感想を述べた。

大島渚監督のこの映画「絞死刑」は、死刑執行に失敗し、死刑囚が生き残ってしまったという設定で、拘置所の執行官や立ち合いの法務省の官僚、僧侶たちのドタバタを描きながら、実際に当時あった小松川女子高校生殺人事件を下敷きに在日問題を絡めた作品で、見ごたえがあった。拘置所の執行官で出ているのが、若き日の足立正生。よく見れば、確かに面影がある。熱演だった。

若き日の、と書いたが、この映画の公開は1968年だ。確かに僕も、新宿にあった蠍座《さそり》だったかで見た覚えがある。いまだにこの映画の問題意識がそのまま通用するなんて、死刑をめぐる日本の情況は50年も変化がないということだと思うと情けない。この時点で、すでにこれを撮っていた大島監督の慧眼《けいがん》には敬意を表すが。

10月15日（火）　新天皇「即位の礼」直前記念スペシャルトーク！　まんが「明仁天皇物語」作者が語る制作ウラ話!!　という、やはり長い名前のトークイベントに行った。新宿歌舞伎町のロフトプラスワン。うーん、すごいタイトルのマンガだ。原作の永福一成さんはお坊さんの格好で登壇。作画の古谷兎丸さんは、こんな過激な（?・）タイトルのマンガを描く人には見えない、ヒョロッとした今ふうの青年だ。このマンガは読んでいた。真面目に面白い漫画だと思っていたので、いつもお世話になっている河合塾の福田さんからお誘いがあった時、二つ返事で行くと答えた。

トークの司会は、この漫画の出版元・小学館の編集者。ただ、直接担当したのは、取締役の立川義剛さん。「何かあったら部下に責任取らせるわけにいかないから」と、この作品だけ現場復帰したと語っていた。

そもそもこの企画は、立川さんが天皇の「退位会見」を見て、感銘を受けたのがきっかけとか。天皇陛下の「言葉こそ柔らかいが強い意志がそこにある」と思い、「国民の理解を得たい」と呼びかけられた一人として、その意思を受け止めるために自分にできることは何かと考え、漫画を作ることだという気持ちが芽生えたそうだ。それを実行に移せるところがすごい。

いろいろ大変だったらしい。現存する上皇・上皇后の、しかも若いころも含めて、顔を描くわけだし、訪問先の景色や建物も、〝間違っても〟間違って描くわけにはいかない。なので監修の先生もつけた。その後の、原作・作画のお二人の苦労話も面白かったが、きりがないので割愛する。

中入りで、僧侶姿の永福さんと話したら、元漫画家で、いまは原作を中心に活躍していて、僧侶も本当にやっているらしい。

「いやー、どこから苦情やクレームが来るかわからないのに、よくやりましたね」と言ったら、クレームは一件も（この時点では）ないという。

「史実に忠実ですからね」と立川さん。終戦間近に、陸軍の軍人が皇太子だった明仁を連れに来たというエピソードも、ちゃんと入れてある。刺激的な、面白い漫画だと、太鼓判を押しておく。

10月19日（土） 石川県加賀市に出かけた。硲伊之助美術館というところで、僕の講演会があったのだ。硲伊之助は「はざまいのすけ」と読む。画家だったが、晩年になって久谷焼に魅せられて、古九谷ゆかりの地大聖寺町に住んだという。

講演のチラシには「日本人、日本文化にとって天皇とは、変化する時代の中で継承すべきものは何か。」という文字が踊っている。でも、どんな話をしたかあまり覚えていない。一水会を作った動機が、森田必勝だったという話から入った記憶はあるのだけれど。質疑応答では、声が小さかったとお小言も頂いた。すみませんでした。

そしてサプライズは、懇親会に澤地久枝さんが現れたことだ。神戸のご自分の講演会から回って来たらしく「本当は鈴木さんの講演から来れるはずだったのに、残念でした」と。嬉しいことを言ってもらえた。かなりのご高齢のはずだが、僕より全然元気だ。

ところで、先に簡単に、石川県加賀市に出かけたと書いたが、実は大変な苦労をした。まあ、苦労をしたのは、僕の体調を心配して付き添ってくれた寅次郎と監獄人権センターの塩田ユキさんの方かもしれないが。台風15号が各地に被害を及ぼしたのが数日前。その影響で、東京から上越新幹線→北陸本線を乗り継いで加賀温泉駅に行くはずが、間引き運転でいつ着くかわからないという。僕の講演だから、何としても着かなくてはいけないし、困ったなと思っていたら、寅次郎が知恵を出してくれた。東海道新幹線で米原に出て、在来線の特急しらさぎに乗り換えて1時間以上で加賀温泉に到着。そこで我が北陸の盟友・岩井正和さんが車で来ていて、僕らをピックアップしてくれた。文字通り僕の手足となって面倒を見てくれるみんなには、本当に感謝以外の言葉が見つからない。

10月20日（日）　この日は、新潟県の新発田に回る。これもまた大変だった。朝８時前にホテルを出発。金沢駅までは岩井正和さんが車で送ってくれた。金沢から北陸新幹線で上越・妙高へ。さらに在来線の特急で新潟へ２時間。そして普通列車で新発田まで。午後２時開始の元反戦自衛官・小西誠さんの講演会にギリギリで滑り込んだ。

この日は、現役自衛官だった小西誠さんが、佐渡分屯基地内で、治安出動訓練の反対を表明し訓練を拒否した事件からちょうど50年目に当たる。そんなわけで、この欄の愛読者ならもう覚えたと思うが、新発田で大杉栄メモリアルのイベントを毎年やっている斎藤徹男さんが、この講演会を開いた。小西さんの講演の後は、僕も壇上に上がり、小西さんと対談をさせてもらった。

小西さんは、自衛隊情報や軍事情報に本当に詳しい。今、自衛隊は南西諸島を基地化する動きをしていると、具体的に話してくれて、非常にエキサイティングだった。元外交官の佐藤優さんのように活躍できる実力は十分だと思う。

小西さんはもう長い間、出版社を経営していて、政治評論を中心とした良書を出し続けている。本が売れない、ちょっと硬そうな本はなおさら売れないこの時代に、継続しているのは偉い。社会批評社という出版社なので、みなさんも覚えておいて、書店で手に取ってほしい。

第36回 僕のドキュメンタリー映画が上映決定

『創』20年1月号

「愛国者に気をつけろ！ 鈴木邦男」より

僕のドキュメンタリー映画がいよいよ2020年2月1日から2週間、ポレポレ東中野で上映される。毎日、トークゲストを呼ぶというから、宣伝会社も力が入っている。大丈夫かな、僕のドキュメンタリーで2週間もお客さん入るかな。ゲストが14人も来てくれないんじゃないかな、友達少ないから。でもまあ、中村真夕監督にすべてを任せてるから、何とかしてくれるだろう。クラウドファンディングもなんとか終わったみたいだし。

思えばこの撮影期間は、僕にとっては体調が悪化した2年間だった。中村監督を初めてみやま荘に迎えてインタビューを撮ってもらった時は普通の汚いアパートだったのに、いつの間にか電動ベッド（上半身が持ち上がる）が入ったり、入り口に手すりもつけたりした。そんな様子もばっちりカメラに収めていたから、みんなに見られちゃうんだな。ちょっと恥ずかしい。

10月26日（土） 佐川一政さんのドキュメンタリー映画を見に行った。「カニバ」という題だ。カニバリズムのカニバ。カニバリズムは「人間が人間の肉を食べる行動、あるいは習慣をいう。食人、食人俗、人肉嗜食ともいう」とウィキペディアには出ている。

この映画、サブタイトルは「パリ人肉殺人事件38年目の真実」とある。だから僕は佐川一政さんのドキュメンタリーかと思って見に行ったのだが、実際は、弟の純さんが主役と言っていい。純さんは、脳梗塞《のうこうそく》で寝たきりになった兄の介護をしているのだ。

その前に、パリ人肉殺人事件について簡単に触れておこう。１９８１年6月にパリで起きた猟奇的な殺人事件。殺されたのはオランダから留学で来ていたルネさんで、25歳。殺人事件を起こしたのは、日本人佐川一政さんで、当時32歳だった。ルネさんに詩の朗読の録音をしてくれと、自宅のアパート（フランス語だとアパルトマンというのかな）に呼んで、銃で後ろから撃って殺し……。その後の説明は、なかなか僕の文体にはない言葉が多いので、これもウィキペディアの文章を借りると「衣服を脱がせ視姦したあと遺体の一部を生のまま食べ、また遺体を解体し写真を撮影して遺体の一部をフライパンなどで調理して食べた」。

バラバラになった死体をトランクに詰めてブローニュの森に運び、池に捨てようとしたところで見つかり、逮捕された。でもフランスの裁判では「心身喪失だから」と無罪になり、日本に帰ってきた。この事件のことは、センセーショナルだったのでよく覚えている。帰って松沢病院に入院していたこともあったらしいが、20年くらい後に、飛松五男さんの紹介（だったと思う）で彼に会った。小柄な人だなというのが第一印象。何を話したかは、まったく覚えてない。事件のことを聞かなかったことは確かだ。

映画の話に戻ると、チラシには監督・撮影・編集・製作としてフランス人とアメリカ人の名前が書いてある。ヴェネツィア映画祭オリゾンティ部門審査員特別賞というのを受賞している。確かに、日本人はカニバリズムに免疫がないから、結構、強烈。一政・純の兄弟の幼い頃の8ミリ映画も使われている。ビデオカメラが普及する前は、家庭で映像を残すというと8ミリという映写機で撮影し、現像所に出すものだった。もちろん裕福な家しか持てない。

これは映写会場で買った『まんがサガワさん』で知ったのだが、佐川家の父親は一流企業の元社長(息子の事件で社長を退任)で、日本に帰ってきてからの一政さんのために、退職金などたくさんのお金を使った。使わざるを得なかった。

映画は、前半はいろんな意味でなかなかしんどいが、後半、純さんの告白もあったり、ラストまでが圧巻だ。

それと、前述した『まんがサガワさん』が強烈、というより激烈。いきなり犯行の詳細が一政さん自身の、へたうま(?)マンガで再現されていく。これは18歳以上にしか売ってはいけないマンガだな。後半の帰国してからの、〝女狂い〟も、性懲りもなくと言うよりは、病んでいるんだな、大変だなという感じ。医学的な正確な表現ではないだろうが、女性、しかも若くてきれいな白人などへの依存はやめられないのだろう。

それと、一政さんだからこそ、近づいてくる女性や芸術家も多かったのだと知った。人間の業と言うのか……。映画とマンガ、すごい世界を見た。

10月27日(日) 絶叫歌人で有名な福島泰樹さんの結社「月光」に参加した。短歌を作るため、では、もちろん、ない。同人が短歌を批評しあう「歌会」の前に、自主研究会というのがある。同人の誰かが順番に講師となって、自分の関心ごとなどを話す。この日は、椎野レーニンさんがその番で、レーニンさんの場合はいつも、著名人を呼んで、彼が聞き役で対談をやる。実は前に僕もこの人に呼ばれて、野村秋介先生の俳句を肴《さかな》に話をした。

今回のゲストは、ドキュメンタリー映画「えんとこの歌　寝たきり歌人・遠藤滋」の監督、伊勢真一氏だった。この映画については以前書いたが、とてもいい映画だ。洋画なら「ベン・ハー」がベストワン。邦画ならこの「えんとこの歌」が一番だと、これを初めて見た1年くらい前から、僕は、言い続けている。

何がいいかって？　見るものの気持ちを温かくし、勇気を与えてくれる。

この映画は、脳性マヒで、マンションの一室に寝たきりの生活を送る71歳の遠藤滋さんと、ボランティアの人々を撮ったものだ。説教臭い映画かなとか、感動を強要するような正しい良い映画か、などと予断を持つかもしれないが、決してそんな作品ではない。一言でいうのが本当に難しい。だから芸術家は作品を作るのだろうが、なんと言ったらいいのか、映画からあふれてくるのは人間賛歌だ。

僕がこの映画を初めて見たのは新宿のKｓシネマじゃなかったかと思うが、それが最終日で、一緒に見た寅次郎が調べてくれたら、翌々日に相模原でも上映会がある。2人で出かけた。寅次郎は僕の面倒を見るために行ったのではなく、むしろ彼が見たいがために、僕を連れて行ったのだ。その翌々日にも、どこかの小さな上映会があったので、そこにも足を延ばしたから、結局5日間で3回見たことになる。それでも見飽きない。

なので、レーニンさんから、伊勢さんをゲストに呼びますと知らされた時、その場で行くことに決めた。実は20年くらい前にも、伊勢監督は「えんとこの歌」を作っている。今回はいわば第2部で「寝たきり歌人・遠藤滋」というサブタイトルがついている。だからこそ、レーニンさんは伊勢監督を呼んで、短歌を紹介したのだ。それらは、素人の僕が読んでも、いいなあと思えるものばかりだ。映画のチラシに引用してあるのは、次の短歌だ。

激しくもわが拠り所探りきて障害持つ身に「いのちにありがたう」

椎野レーニンさんは「若ききみ悩ますことに躊躇ありされどわが心隠す術なし」という恋の歌が好きだという。同年代だからだろう。

10月28日（月） 中野ゼロホールの大ホールで開かれた「GREAT RETURN MARCHパレスチナ—沖縄—福島 国際連帯フェスティバル」という音楽ライブに行った。僕はもちろん知らないが、アラブ世界やヨーロッパでは有名な、パレスチナのラップ歌手MC GAZAという人が来日して、日本からはK DUB SHINEとかDELIなどのラップ歌手（断っておくが芸名は横文字の日本人だ）、それにフィナーレは渋さ知らズオーケストラが賑やかに飾った。

僕は音楽興味で行ったわけではなく、足立正生さんが得意な英語やアラビア語で交渉役を担った関係で、行ってみた。そうしたら、救援連絡センターの創立50周年を兼ねた音楽会だったようで、事務局長の山中さんの姿も見えた。

ラップはよくわからなかったが、渋さ知らズオーケストラは、ダンサーや、ギター、サックス、トランペット、トロンボーンなどが暴れまくる。最後は演奏者が客席に降りてくる。楽しかった。最初に何か喋ったかもしれないが、政治的なアピールはあまりなかった。この日も、寅次郎が家から中野まで、送り迎えの面倒を見てくれた。きっと彼は天国に召される。

10月30日（水）　ロフトプラスワンで行われた「『惑星たち』出版記念イベント　私たち、恋愛小説家になりたいんです。」にトークゲストとして出演。28日のライブもそうだが、やたらにタイトルが長くて、一体何のイベントなのか、よくわからないのが、最近多いような気がする。

このイベントは、「パーフェクト・レボリューション」などを撮った映画監督・松本准平さんが小説を書いて、その出版記念イベントだった。行くと、壇上には昼間たかしや増田俊樹など、僕にはおなじみの面々が。それだけじゃなくて、なんと瀧澤蛇子が「三島由紀夫研究家」の肩書で並んでいる。真ん中にはもちろん主役の松本准平さん。彼には僕も会ったことがあるし、代表作（？）「パーフェクト・レボリューション」も観た。リリー・フランキーさんが、脳性マヒで手足が思うように動かせなくて車椅子で生活しているクマの役をとてもうまく演じていたのが印象に残っている。この日は、この主人公のモデルとなった車椅子の青年も来ていた。もっともこの人の姿は、いろんなところでよく見かける。

第1部の途中で僕が呼ばれて、松本さんの経歴（なんと東大に通いながらお笑い芸人を目指して吉本の養成学校にも行っていたとか）なんかで盛り上がるのに、もうひとつ煮え切らない。話を聞いて、納得した。2部に、松本さんが愛してやまない、レジェンドAV女優・吉沢明歩さんが登場するのだ。みんなが、特に松本准平さんが気もそぞろなのがわかった。2部は僕の出番はないというのだから、若いお客さんにとっては、「なにこのおじいさん！」だったのだろう。なんで僕を呼んだんだ！　また昼間たかしをぶんなぐってやらなきゃ！

第37回

ドキュメンタリー映画に向けリハビリ奮闘中！

『創』20年2月号／3月号

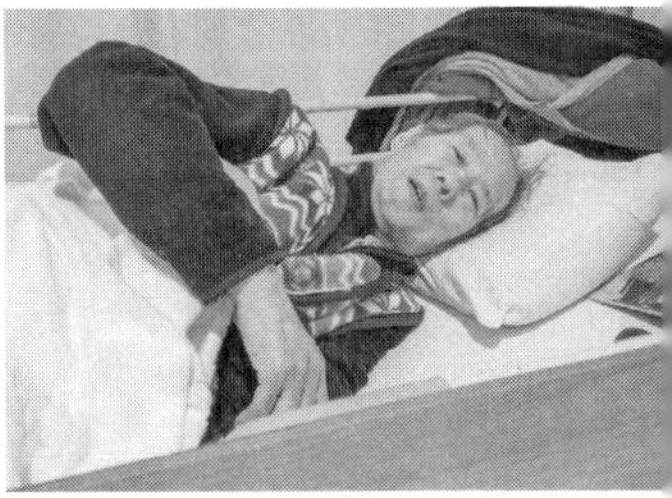

ベッドに横たわる筆者（椎野レーニン撮影）

僕のドキュメンタリー映画のクラウドファンディングも100％達成し、いよいよ2020年2月1日から2週間、ポレポレ東中野で上映されることになった。14日間全部、トークゲストが来てくれることになったから、僕もリハビリを頑張らなきゃ。僕の入院の話はけっこう広まっているらしく、心配した方の問い合わせも多いので、今回はその話を書こう。

11月4日（月・休）　困ってしまった。この日の夜、ロフトプラスワンで、僕の名前が付いたトークショーがある。それに行くため、お風呂で身を清めていたら、体に力が入らなくて、湯船から出られなくなった。ちょうど、部屋の整理・整頓・清掃に来てくれている人がいたので、助けを求め、救急車が呼ばれた。

「ちょっと待ってくれ、ロフトプラスワンに行かなきゃ」と思ったが、そんなこと言い出せる雰囲気ではない。

イベントは、〈鈴木邦男の〝言論の覚悟〟vol．1「表現の不自由展・その後」で天皇の肖像を燃やしているとバッシングされた大浦信行監督の『遠近を抱えてpart２』を見る！〉という、これまた長い名前のイベント。僕の冠がついてるとはいっても、中心は大浦監督だし、この問題を『創』でずっと追いかけている篠田編集長も出演してくれる。もう一人は、『遠近を抱えてpart２』に、唯一生の人間として（写真などでなく）出演しているあべあゆみさんなので、心配ない。むしろ僕なんかいない方がいい。あとは司会・進行のレーニンさんがうまくやってくれるだろう。

そう思いなおした。救急車で担ぎ込まれた病院は、また中野の警察病院。すっかりお馴染みになってしまった。診断は「腸閉塞」「腎不全」「感染症」だ。２週間の入院を要すとのこと。

６日に一般病棟に移って、ＩＣＵなどにも入った。腸閉塞だから、おいしいものが食べられない。おもゆやジュースが中心。お腹が減る。辛い。しばらくしておかゆやヨーグルトもＯＫになった。ヨーグルトがこんなにおいしいものだとは、七十有余の人生で、初めての経験だ。長生きはしてみるもんだ。

11月16日（土）　手術が必要だという判断が出て、阿佐谷の河北総合病院に転院した。着いたと思ったら、すぐ手術。夜までかかった。

翌日には、ここでもＩＣＵに。そのまた翌日には、ＨＣＵに入れられた。この原稿を筆記してくれているレーニンさんに調べてもらったら（※編集部注＝本連載はこの頃、物理的に原稿を書くのが困難になっていた鈴木さんの話をテープに録音し、椎野礼仁さんがまとめるようになっていた）、ＨＣＵは高度治療室High Care Unitの略で、ＩＣＵ（intensive care unit）よりは少し軽い人が入るようだ。ここで輸血などを受けた。

と思ったら、またその翌日、19日には一般病棟に移された。抗生物質アレルギーで、体中に赤い斑点が出る。かなりかゆい。手術の傷の痛みは全くない。

11月25日（月） リハビリを開始。なんと最初は10mくらい歩いただけ。抜糸もこの日だった。この日以降、同じような病院の日々が続く。

やたらに眠くて困る。本を読もうと思っても、睡魔に勝てない。うーん、読書魔をもって鳴らすこの僕が、堕落したものだ。あまりに眠い時は、リハビリもしたくないので、何回か断ってしまった。でも、しばらくたったら、新聞は読みたくなって、院内のコンビニに行った時（付き添ってもらってだが）コーラと新聞を買った。

この病院は本来救急病院なので、3週間くらいしか入院はできないらしい。でも、自宅に戻って一人で過ごすのは無理だという診断で、転院先を探してもらうことになった。

12月10日（火） 荻窪の城西病院に転院。ここはリハビリに定評があるらしく、それで選ばれたようだ。

リハビリは、1日2回、検査時間も入れて小1時間ほど歩く。その間中、ちゃんとリハビリの専門家がついてくれて、「もっと大股に」とかいろいろ言ってくれる。ありがたい。

こちらの病院に転院してからは、面会も許可が出たので、いろんな人が来てくれている。本を持ってきてくれる方も多く、清水均さん（元『現代用語の基礎知識』編集長）は、宮沢賢治の『雨ニモマケズ』の絵本を携えてきてくれた。ページを開くと、なんと「鈴木邦男様へ」という作者のサイン入りだ。びっくりした。お見舞いに来る前に、作者の松成真理子さんの個展に行って、本を2冊買って、自分へのサインももらい、もう1冊には僕へのサインを頼んでくれたのだ。

宮沢賢治は好きな作家だ。おそらくほとんどの作品を読んでいる。自然で自由な生き方に憧れる。

20年1月　僕のドキュメンタリー映画「愛国者に気をつけろ！　鈴木邦男」の上映と、そのトークゲストについて書いておく。

公開は2月1日から14日までだが、気にしても仕方がない、もう映画は直せない。そう思う反面、なにせ気が小さい僕だから、「なんだこの映画は、金返せ！」なんて人が現れてないか心配だ。あれ、これは監督の中村真夕さんに失礼か。僕は素材になっているだけだ。撮ったのは中村監督だ。映画の良し悪し、面白いかつまらないかは、全部、彼女に責任がある、と一旦は言っておこう。

上映はポレポレ東中野。総武線の東中野の駅から歩いて1分。時間は午後6時から。78分の映画なので、7時半頃から、すぐトークを開始する。豪華メンバーが来てくれる。2月7日は政治学者の栗原康さん、8日は香山リカさん、9日は金平茂紀さん、10日は松本麗華さん、11日は内田樹さん、12日はジャン・ユンカーマンさん、13日は足立正生さん、14日は上祐史浩さん。

「報道特集」の金平茂紀さんが9日になっているが、金平さんは今、ベイルートに出張に行ってるとのこと。ベイルートと言えば、そう、カルロス・ゴーンさんの取材だ。もし来られたら、僕の話より、ゴーンさんについての情報を知りたい人が多いだろう。僕もそうだ。だから、映画よりこの話題で大いに盛り上がろう。

と書いたものの、実は、体調が極めて不良です。今、これを書いてる（正確に言うと書いてもらおうと話をしている）時点では、まだ入院中。去年の11月に、腸閉塞で入院してから、三つ目の病院だ。

一つ目の病院（中野警察病院）で検査。次の河北総合病院（阿佐ヶ谷）で手術。そして今の荻窪城西病院。なんだか中央線を下ってるな。すると次あたりは吉祥寺か。

この病院で、リハビリを懸命に続けているところ。幸い経過は良好で、映画の上映前には退院の許可が出るらしい。とはいっても、体の自由が利かないから、当面はヘルパーさんやクニオ・ガールズ（映画を見た人はおわかりでしょう）、ボーイズ（オールドボーイズだが）のお世話になる。みなさん、よろしくお願いします（編集部注：鈴木さんは1月24日に退院）。

トーク当日も、クニオ・ガールズの皆さんに面倒を見てもらって、自宅から映画館の前までタクシーで行き、肩を借りながら舞台に上がらせてもらう手はずになっている。車椅子を借りる手配がすんでいるが、ポレポレ東中野の舞台は車椅子が載る奥行がないようなので、見苦しい姿をお目にかけるかもしれないが、寛大な心でお許しを願っておきます。

映画については、僕は最初のバージョンを見た。うーん、ずいぶん勇ましいシーンも収められてるんだな、と思った。ちょっとだけ前のことなのに、自分でも、よくやってると思った。「ザ・コーヴ」の上映をめぐって、右翼と映画館前でやり合った時の資料映像（というらしい）だ。改めてあんな自分の姿を見せられると、まだまだ病気に負けている暇はない。この映画にも入っていたが、生誕百年祭は今年もぜひやりたい。

僕が見た時点では、映画のタイトルは決まってなかった。観た後で、数人で話し合った。中村監督は「テロと民主主義」みたいなタイトルを予定してたみたいだが、テロのシーンなんて、山口二矢や徐裕行さんのニュース映像が出てくるだけで、僕のシーンなんか一切ない。そりゃそうだ、やったことなないんだから。で、却下。「鈴木邦男に気をつけろ！」という案も出て、これは悪くないと思ったが、「わかったようでわからない」と強硬な反対意見が出た。確かに、なんで気をつけなきゃいけないのか、わからないかな。でもそのために映画を見るんじゃないのかな、ブツブツ。ホームページと同じ「鈴木邦男をぶっとばせ！」案も出たが、これも今のと同じようなもんだし、第一、僕がなんとなく気に入らなかった。

石川啄木みたいに〝果てしなき議論の後の冷めたるココアのひと匙《さじ》を啜《すす》〟ることはなかったが、みんな疲れてきたので、僕は「ヘタレ右翼　鈴木邦男」でいいじゃない、と言ったのだが、一笑に付された。

で、結局、今のタイトルになった。『〈愛国心〉に気をつけろ！』という本があるのに、あえてこれなのかと思ったが、「鈴木さんのイメージにピッタリだ」という意見が大勢を占めた。

第38回 満員御礼！「愛国者に気をつけろ！鈴木邦男」

『創』20年4月号

2月1日のアフタートーク。
左から中村真夕監督、武田砂鉄さん、筆者

ゲストのおかげで、連日、札止め！

2月1日から14日まで、ポレポレ東中野で公開された僕を追ったドキュメンタリー映画「愛国者に気をつけろ！　鈴木邦男」の話だ。

「客が入らなかったらどうしよう」「なんだ、つまらない映画だ！なんて言われないか」と心配していた。

幕を開けたら、なんと14日間、満席だった。嬉しい誤算だ。もっとも、毎日やったアフタートークのゲストがよかったせいだ。武田砂鉄さん、白井聡さん、栗原康さん、松本麗華さんらの若手から、寺脇研さん、内田樹さん、ジャン・ユンカーマンさん、足立正生さんらの重鎮。そして雨宮処凛さんや香山リカさん、金平茂紀さん、上祐史浩さんなど顔なじみのメンバーから、松元ヒロさん、瀬々敬久さんなど、あまり対談をしていない方たちまで、各界の日本を代表するメンバーが登場してくれた。

改めて、お礼を言いたい。

僕の方だが、映画の初日の1週間前に退院した。退院当初は、疲れて寝ていることが多かった。リハビリのための散歩に時たま出るくらい。でも、日に日に、気分は高まっていった。

初日。クニオガールズの一人がタクシーを予約してくれた。乗ってしまえば5分で着く。着いたら、心配顔とニコニコ顔と、その中間の表情の何人かが迎えてくれた。ゲストの武田砂鉄さんももう来ていた。早速、中村真夕監督とともに打ち合わせ。と言っても、監督の「（武田さんと僕の）最初の出会いはいつですか？」という質問に、僕は全く思い出せない。武田砂鉄さんが河出書房新社の編集者であった頃であるのは確かだが。そしたら砂鉄さんが「『言論自滅列島』という本ですよ」と言う。講談社で出た本の文庫版を河出が出して、その時が初めての付き合いらしい。斎藤貴男さん、森達也さんとの共著だ。

この話は本番のトークの時、そのまま出て、砂鉄さんは苦労話として「この中の誰一人として携帯（電話）を持ってないので、連絡を取るのにえらい苦労した」と話していた。斎藤貴男さんは『私がケータイを持たない理由』なんて本を書いているくらいだから、筋金入りだ。僕も、自慢じゃないが、ＩＴというか、文明の利器とは無縁で、ずいぶん長い間、「写ルンです」を使っていた。「写ルンです」とは操作の簡単なカメラのこと。テレビコマーシャルで女優さんが「私にも写せます」と宣伝していた。シャッターを切るくらいしかやることがなくて、そのまま写真屋さんに持っていくと現像してくれる。使い捨てカメラだから、写真をもらって終わり。写真屋さんが少なくなった時には、コンビニでもプリントしてくれた。

アフタートークでは、砂鉄さんは僕が本の奥付に名前と電話番号を記載していることについて触れた。僕の本を開きながら「いま電話番号、読みあげましょうか?」なんて言って、笑いもとっていた。

本の奥付に住所と電話番号を載せていることについては、他のゲストの皆さんも大抵話題にした。勇気があると、ほめてくれる。でも、これからしばらく、住所記載はやめることにした。引っ越したからだ。引っ越しそのものが理由ではなくて、原因は体の不調にある。

映画の公開1週間ほど前に退院したことは既に書いた。この時の入院は、腸閉塞が主な理由だった。手術をした。経過は順調で、入院期間は3カ月弱と長かったものの、リハビリもまじめにやった。そのためクニオガールズが絶望視していたトークへの登壇も、14日間全部果たした。顔を出しただけじゃなくて、トークにも参加したのだ。しかも初めのころはうなずくだけのことが多かったが、だんだん話に口を挟めるようになり、最後の日は、あの上祐さんを差し置いて、僕の方が多くしゃべった。

ただ、舞台への階段や、椅子に座る時や立ち上がる時は、クニオボーイズの肩を借りた。立ち上がってしまえば自分で歩けるのだが、下半身に力が入らないため、立ったり座ったりができない。皆さまには無様な姿をお見せした。

こんな状態なので、人が訪ねてきても、一人しかいない時は起きていけない。心ならずも居留守を使うことになる。

それはまだいい。みやま荘で1回あったように、不届き者に放火でもされた日には……この後を書くのが怖いくらいだ。

もちろん、もうそんなことはないだろうとは思う。でもヘルパーさんや介助の人がいる時もある。周りの人々も、当分、書かないでおいてくれと強く要請する。今度ばかりは従うことにする。アフタートークでほめてくれた人々には、失望を与えるだろうか？「そこまで大げさに考えなくてもいいですよ、筆を曲げるわけではないのだから」と言ってくれる人もいる。体調が復活するまでしばらくはそうすることにする。お許しあれ。

第39回
「三島由紀夫vs東大全共闘50年目の真実」

『創』20年5・6月号

幸い、体調はだいぶ取り戻した。現在は月1程度通院し、家の周りを歩き回っている。歩くのはまだちょっと不安なのでタクシーを使うことになるが、少しずつ会議や対談にも出るようにした。

3月10日(火) 一般社団法人「共にいきる」の会議に出た。高田馬場のレーニン事務所へはタクシーで行った。半年ぶりくらいになるのか。「鈴木先生、復活ですね。目がしっかりしてます。良かった」と言われた。そんなにおかしかったのかな、と逆に思った。

「共にいきる」は、「犯罪を犯した人・加害者」の家族になってしまった時に受ける、さまざまなバッシングや差別に対して、共に解決策を模索していこうという団体だ。僕は理事長を務めている。

「共にいきる」の具体的な活動の最初のものが、麻原彰晃さんの長男の裁判を支援しようと弁護士に対する名誉毀損を訴えたものだ。具体的にはその裁判費用をクラウドファンディングで集めようと試みた。ただ、既存のクラウドファンディングの運営者には、そこのサイトに載せてもらうことができなかった。理由は示されなかった。普通なら、こういうふうにすれば載せられますよというサゼスチ

ポスターの前で豊島圭介監督と。

ヨンがあるのに、それもなかった。このこと自体が、加害者の家族に対するいわれなき偏見の実例になったという皮肉な事態だ。

なので、「共にいきる」のホームページでのみの募集となった。そうしたら、なんと目標額が予想より早く集まってしまった。大口の人がいたせいもあるのだが、本当に心強い思いがした。応募していただいた方には、感謝します。

3月12日（木）　青山の映画配給会社に行く。ここへも往復にタクシーを利用した。早く体が回復して地下鉄に乗れるようにならないと、お金がいくらあっても足りなくなる。

青山なんていう似合わない所に行ったのは、映画の配給会社ＧＡＧＡで対談があったからだ。対談相手は映画監督の豊島圭介さん。映画「三島由紀夫vs東大全共闘　50年目の真実」の監督だ。ＴＢＳテレビでも派手にＣＭを打っていたから、見た人は多いと思う。

内容はタイトル通り。１９６９年の５月13日に、東大駒場の大教室で開かれた、三島由紀夫と東大全共闘の討論会の模様を中心としたものだ。当時、ＴＢＳがこの模様をカメラに収めていた。その幻のフィルムを、僕は前に一度、見せてもらったことがある。いまＴＢＳテレビで土曜日の夕方に放送されている「報道特集」のキャスター金平茂紀さんに「面白いものがあるので見に来ませんか」と声をかけてもらったのだ。彼が早稲田大学で教えているゼミで、その映像を流すので来ては…というお誘いだった。もちろんお邪魔した。この時は生のテープを見せてもらったので、討論の詳しい様子までは読み取れなかった。

それを映画では、わかりやすくつないである。そのうえ、当時その場にいた東大全共闘の３人や、楯の会のメンバーにもインタビューして、雰囲気をよく伝えている。さらに、学生運動や三島由紀夫に詳しい識者（内田樹、平野啓一郎、瀬戸内寂聴ほか）の映像も出てくるので、時代的な意味もよく理解できる。

最も印象に残ったのは、三島の真摯《しんし》な態度と、三島と切り結んだ東大の学生の一人芥正彦さんの頭の良さ。芥正彦さんは東大全共闘随一の理論家と言われていたらしい。70歳を過ぎた今も前衛的な芝居や舞踏を続けている。

三島由紀夫は、いわば敵地に乗り込む心境だったことだろう。すでに『憂国』や『英霊の声』などの小説も発表し、「楯の会」を結成して左翼との対決姿勢を鮮明にしていた。そういう「反動的な作家・三島由紀夫」を血祭りにあげようと待ち構えているであろう東大全共闘。

そういう構図の中に、三島はたった一人で乗り込んだ。駒場の900番教室は1000人の学生でぎっしりだった。映画で初めて知ったのだが、この時警察が警護を申し出たのだが、三島は断ったそうだ。楯の会の会員は、三島には同行を拒まれたが、会場には潜り込んで、もし何かあったら先生を守ろうと考えていた。

危惧するようなことは何も起こらなかった。それはひとえに、三島の真摯な討論態度によるものだったと思う。難解な用語を使うあまり趣旨のよくわからない学生の議論にも、その意図をくみ取って、丁寧に応対している。その真面目さが、討論に立った芥さん達数人にもきちんと伝わった。

そんな様子がよくわかる映画だった。

特別篇

追悼記

前ページの原稿が月刊『創』に掲載された2020年４月、鈴木邦男さんはまたも緊急入院となった。しかもコロナ禍が広がっている時期で、面会謝絶となった。退院後も面会謝絶は続き、当初は、電話をすれば本人と話はできたが、それも次第に難しくなった。

身体は衰弱していったようで、2023年１月11日午前11時25分に誤嚥性肺炎でついに息を引き取った。『創』の連載は、終了でなく休載として鈴木さんの復帰を待ち続けたのだが、こういう形で鈴木さんと別れることになったのは残念でならない。

（月刊『創』編集長・篠田博之）

2023年４月２日「鈴木邦男さんを偲び語る会」で発言する田原総一朗さん

追悼記1

「言論の覚悟」を貫いた鈴木邦男さんの軌跡

篠田博之〔『創』編集長〕

『創』23年4月号

2001年、日比谷野音の集会で

2023年1月11日、鈴木邦男さんが他界した。

一水会がそれを公表したのは1月27日で、訃報に接して衝撃を受けた。容態がずっと良くないことは知っていたが、まだやってほしいことがあったし、日本の言論界に必要な人だと思っていた。

鈴木さんは1995年から月刊『創』に「言論の覚悟」という連載(当初の連載名は「鈴木邦男主義」)を続けていた。しかも、連載開始前から本誌の皇室タブーの特集などに登場していたから、つきあっていた期間はさらに長い。

1980年代に最初に会った頃の鈴木さんは若き右翼青年といった印象だった。2012年に行われた一水会結成40周年大会の会場には若松孝二監督など多彩な人脈が顔を見せていたが、日の丸を掲げた壇上で右翼の人たちが顔を揃えていた。ただ、もうその頃から鈴木さんはリベラルな言動が目立ち、一部の右翼の間では「裏切り者」などと呼ばれてもいた。

でも長くつき合って思うのだが、恐らく鈴木さんの根本は変わっていないのだと思う。

それは鈴木さんの好きな「言論の覚悟」という言葉にあらわれている。
例えば『創』１９８６年4月号の天皇タブー特集の中で、鈴木さんはこう語っていた。
《活字だって立派な凶器だ。人を斬りもすれば殺しもする。その自覚もなくて人を傷つけておきながら、ちょっと抗議されると本を回収し、「これは右翼の暴力だ」「言論統制だ」「タブーだ」などと泣き言をいう。いい大人が余りにもミジメだろう。》
２００2年に刊行された『言論の覚悟』のあとがきでは、こう書いている。本書まえがきでも引用したが、もう一度書いておこう。

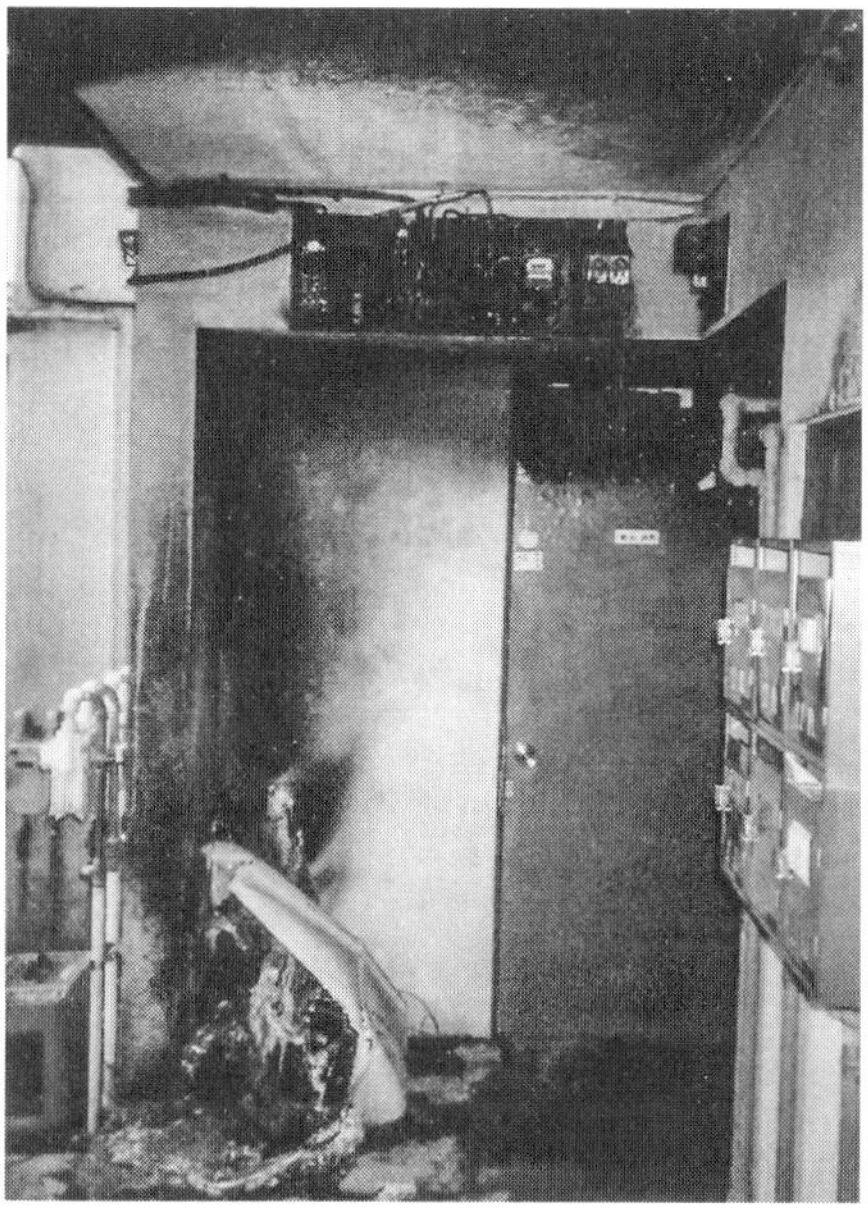
写真①　放火されたみやま荘

《もの書きは全て、自分の住所と電話番号を公開すべきだと僕は思っている。それ位の覚悟と自覚を持つべきだと思う。》
《反響は全て引き受けるべきだ。少々恐ろしくとも引き受けるべきだ。それが嫌なら、もの書きという仕事をやめるべきだ。そんな覚悟のない人間が、偉そうにきれい事を言ってるから、言論はどんどん下劣になり、言論の自由がなくなるのだ。》
鈴木さんは最近まで全ての著書に自宅の住所と電話番号を載せていた。当然様々なリアクションを受け、自宅が放火されたこともあった（写真①）。

鈴木さんが「新右翼」と呼ばれるようになったのは1975年に出版した『腹腹時計と〈狼〉』がきっかけだった。三菱重工爆破事件を起こした新左翼メンバーの一人が、逮捕後、服毒自殺した。彼らのストイックな生活ぶりや自分の思想や言論に命をかけるという姿勢に、左右の思想の違いを超えて、鈴木さんは共感したらしい。当時は極左と極右の共鳴などと言われた。

『創』に連載を始めた頃はもう鈴木さんは、リベラルないし左と目される人たちとのつきあいが増えていたが、行動派ぶりは変わらなかった。2001年、個人情報保護法に反対したジャーナリストらが日比谷野音で開催した集会でのことだが、発言を予定されていた宮崎学さんに対して当時対立していた活動家らが押し掛けた。宮崎さんは事前に察知して集会には現れず、押し掛けた人たちは主催者側と押し問答となった。

その時、壇上から「君たち、言いたいことがあるなら上がってこい！　ここで議論しようじゃないか」と熱弁をふるったのが鈴木さんだった（写真②）。写真を見ると、鈴木さんの後ろには森達也さんが写っている。熱くなっている鈴木さんと、引いた雰囲気の森さんが対照的だ。

『靖国』『ザ・コーヴ』上映めぐる攻防

その鈴木さんの行動派ぶりがいかんなく発揮されたのは、2010年以降、日本のイルカ漁を批判したアメリカ映画『ザ・コーヴ』をめぐる騒動の時だった。それを「反日映画」と非難したネトウヨ中心のグループが映画館に押しかけ、抗議行動を展開した。配給会社の社長の自宅まで街宣がかけられ、横浜の映画館の支配人の自宅に押しかけた抗議グループは、留守を預かっていた高齢の両親にまで抗議を行った。

私は抗議が行われる現場にはほとんど足を運び、いつも鈴木さんと顔をあわせていたが、鈴木さんのすごいところは、映画館前での抗議グループにつかつかと歩み寄り、「映画を観もしないで上映やめろと言うのはおかしいじゃないか」「君たちがやっているのはただの弱い者いじめだ」と詰めよったことだ。抗議側も激しく応酬し、緊張した空気の中で警官隊がばたばたと駆け寄った。

写真②　2001年、日比谷野音集会で

写真③　『ザ・コーヴ』上映を妨害する列隊に向かう鈴木さん（中央）

写真③は、当時最も激しい上映妨害を受けた横浜の映画館前だ。デモ隊に詰め寄っている鈴木さんの背中が見える。

現場は道路を隔てて、映画館側には劇場支配人や「恥ずべきは上映妨害」などと手製のプラカードを掲げた市民らが立ち、道路の向かい側には抗議グループが立った。そんなふうに双方がにらみあっている中を、鈴木さんが道路を渡って抗議側に近づいていくのがいつもパターンだった。

写真④　ハンドマイクで殴られた鈴木さん

全国公開日の2010年7月3日は渋谷のイメージフォーラム前に上映反対派と上映を支持する市民、それに警官隊が多数おしかけ、もみあいとなった。その騒乱状態の中で、抗議団に詰め寄っていた鈴木さんはハンドマイクで殴られ、顔から出血した。写真④は、その鈴木さんが殴られた瞬間を捉えたものだ。

その夜、新宿のロフトプラスワンではその問題をめぐって討論が行われたが、鈴木さんは「警官が当然、殴った男を逮捕するのかと思ったら、僕に近づいてきて『これ使って』とティッシュをくれただけだった」と笑いを誘った。

この『ザ・コーヴ』をめぐる騒動には前段があった。2年前の2008年に起きた映画『靖国』上映中止騒動だ。この時は自民党保守派の動きなどを受けて、映画館が自粛の連鎖に陥り、公開前の3月末に全館上映中止を決定。社会に衝撃が走った。日本ペンクラブなど言論表現団体が次々と声明を発するなか、4月10日に参議院議員会館で開かれたジャーナリストや言論人の共同記者会見で、私の隣に座っていた鈴木さんはこう発言した。

「すべての責任は僕にあります。反日だろうと何だろうと、公開したうえで、賛成・反対の議論をすればいいと思って、右翼の人たちを説得しました。でも力がなくて残念です。全館上映中止になったという話を聞いた時には悔しくて涙を流しました」

写真⑤　2008年『天皇伝説』上映に抗議する右翼の街宣車

その後、鈴木さんや木村三浩さんらの尽力で、新宿のロフトプラスワンで、まず映画を観てから批判しようと、右翼団体を集めての上映会が開かれたり、世論の後押しもあって、5月から『靖国』は上映再開。当初より大規模に公開が拡大した。

『ザ・コーヴ』での鈴木さんの行動は『靖国』上映中止騒動の反省に立ったものだった。

映画『天皇伝説』に右翼団体が猛抗議

映画『靖国』が大きな社会問題になった2008年頃、鈴木さんが関わっていたもうひとつの映画は、渡辺文樹監督の『天皇伝説』だった。渡辺監督も『創』には何度も登場したが、異色の表現者だ。自分で撮影・製作した映画を各地の公民館などで上映するのだが、映写機も自分で回す。キップをもぎるのは奥さんで、一時期は娘も連れて一家で機材を積んで全国を回っていた。

映画はタブーに挑んだものが多く、天皇をテーマにしたものも幾つかあった。最も有名なのが2008年公開の『天皇伝説』で、上映会場には全国から右翼団体が抗議に集まり、騒然とした雰囲気となった。

写真⑤は2008年10月14日、横浜市の開港記念会館での上映会だが、開場1時間前からたくさんの街宣車が「国賊・渡辺を叩き出せ！」などと叫んで付近を走り回った。受付付近にも戦闘服の右翼が押し掛け、渡辺監督と激しい応酬がなされるのだが、すごいのは鈴木邦男さんもそこに割って入って論戦を繰り広げたことだ。ここでも「映画を観てから批判すべきじゃないか」という主張を繰り広げるのだが、「何を文化人面《づら》してるんだ！」「お前よりも渡辺の方が腹がすわってるぞ」などと激しい言葉が浴びせられた。

もちろん鈴木さんは天皇を尊崇する立場だから渡辺監督とは意見が違うのだが、なぜシンパシーを感じていたかと言えば、体を張って上映を続ける渡辺監督への共感だろうと思う。右翼と張り合うだけでなく、公安警察からも渡辺監督は何度も逮捕されるなどの仕打ちを受けていた。映画のポスターを無許可で電柱に貼ったといった微罪なのだが、上映前夜に渡辺監督のもとに警察が踏み込んだり、逮捕することで上映そのものを潰すといったことも何度もあった。

ネトウヨのヘイトスピーチを強く批判

この20年ほど、鈴木さんは日本の右傾化や憲法蹂躙《じゅうりん》について批判を強めていった。「脱右翼」とも言われたのだが、日本の言論・思想の軸が右に大きくぶれていくことに鈴木さんなりに危機意識を持ったのかもしれない。国旗・国歌を強制するといった自称「愛国主義」に、鈴木さんは疑問を呈し続けた。特にネトウヨと言われる人たちが登場して、民族差別や排外主義があらわになると、鈴木さんはこれを強く批判して対立することになった。

写真⑥　排外・人種侮蔑デモに抗議する国会集会

写真⑦　連合赤軍事件殉難者追悼の会

写真⑥は2013年3月14日、参議院議員会館で開かれた「排外・人種侮蔑デモに抗議する国会集会」で発言する鈴木さんだ。有田芳生さんや安田浩一さんらとともに、鈴木さんはヘイトスピーチには一貫して反対してきた。辛淑玉《シンスゴ》さんらの「のりこえねっと」の共同代表も務めた。

鈴木さんが関わるテ

ーマや領域は、年を追うごとに広がっていった。写真⑦は2012年2月に開催された「連合赤軍事件殉難者追悼の会」で発言する鈴木さんだ。連合赤軍関係者との交流は深いものだったし、日航機「よど号」をハイジャックしてピョンヤンに渡った元赤軍派のメンバーとも親しかった。

2015年にはソウル大学に招かれ、「私はなぜヘイトスピーチを嫌うのか。日本の右翼がみる日本のネット右翼」というテーマで講演した。

「自由のない自主憲法よりは自由のある占領憲法の方がましだ」というのもあちこちで引用される鈴木さんの言葉だが、鈴木さんは一時期、日本国憲法の成り立ちについても関心を示し、2007年には「九条と日本」というシンポジウムに招かれてニューヨークに渡っている。そこで、日本国憲法の「女性の権利」の部分を書いたと言われるベアテ・シロタ・ゴードンさんと対話したことも鈴木さんに影響を与えている。

『創』で長い間連載を続ける間、鈴木さんは様々な人と対談を行ってきたが、実は対談を断られたことも少なくない。マスコミはずっと鈴木さんを右翼として扱ってきたし、鈴木さんを知っている人でなければ、右翼との対談ということで、二の足を踏む人もいるのが現実だった。鈴木さんはそれを「右翼の原罪」と表現していた。

2018年頃から病気との闘い

鈴木さんは2018年頃から急に転倒するようになり、同時に元気がなくなっていった。以前『創』で連載対談をお願いしていた永六輔さんのパーキンソン病と症状がそっくりだったので、私は早くから専門医に診てもらった方が良いとアドバイスしていたのだが、治療を受けても症状は改善されなかった。

私も入院中の病院にお見舞いに行ったことがあったが、手術の後でベッドに横たわりながら開口一番、「忙しいのにわざわざ来ていただいて…」と丁重にお礼を言うところが鈴木さんらしかった。

何度かの入退院を繰り返した後、長年住み続けてきた「みやま荘」では段差があることなど治療しながらの生活が難しいとして、２０２０年1月31日に引っ越した。みやま荘を出るというのは鈴木さんにとっても大きな出来事だったに違いない。

その後、鈴木さんは外部とも面会謝絶で治療に専念してきたが、２０２３年1月11日、帰らぬ人となってしまった。

鈴木さんは日本の言論界で独特の立ち位置だった。いま言論界が混迷するなかで、鈴木さんのようなポジションからの発言はとても貴重で、その意味でかけがえのない存在だったと思う。とても残念だ。今はただ、安らかにと祈るしかない。

追悼記2

鈴木邦男さんが言論界で果たした役割

森 達也／雨宮処凛／椎野礼仁／篠田博之

『創』23年4月号

「鈴木邦男さんを偲び語る会」での森達也さん（左）、雨宮処凛さん（右）

篠田　鈴木邦男さんの死については、体調が悪いのは知ってはいましたが、衝撃でしたね。まだ79歳で、やるべきことも多かったし、病気になって命を落としてしまうというのは残念でなりません。

森　ずっと背中を見ていた人が、昨年から何人も亡くなってしまって、僕にとっては、鈴木さんがとどめをさしたという感じでした。喪失感は強いです。だから鈴木さんが亡くなっていろいろな人がネットで発言していたけれど、僕はそういうのを読む元気も出なかったという感じです。

雨宮　私にとって鈴木さんは、もし会っていなかったら今の人生はなかったと言える人でした。私が北海道から上京して2～3年目、21歳の頃で何の人脈もなく、「何かになろう」ともがいていたフリーターの時代に、高円寺のサブカルイベントに行ったら、打ち上げで鈴木さんが隣の席だったのです。当時、鈴木さんは『SPA!』に「夕刻のコペルニクス」を連載し、小林よしのりさんの「ゴーマニズム宣言」にも登場したりしていました。『ガロ』にも「文化サーフィン」という連載を持っていて、いろんな人との交友日誌を書いていました。

その打ち上げで知り合いになってからは、いろんな人を紹介してくれました。鈴木さんに会ってなかったら、塩見孝也さん（赤軍派元議長）にも会ってないし、見沢知廉さん（82年、「スパイ粛清」事件を起こして12年を獄中で過ごす。出所後、作家として活躍）にも会ってない。私が一時期右翼団体に入ることも絶対なかったですよね。そういう私の人生の起点が全部、鈴木さんなんです。ある意味で「東京のお父さん」のような存在でした。

２００３年、イラク戦争が始まる前にはバグダッドで「反戦」を訴えようと一緒にイラクにも行きました。塩見さんやロフトプラスワンの平野悠さん、「頭脳警察」のＰＡＮＴＡさんも一緒という、物騒なメンツの珍道中でしたね。

篠田　鈴木さんの『創』の連載が始まったのは１９９５年なんですが、94年に始まった「夕刻のコペルニクス」の連載のあたりから、その後の鈴木さんにつながる活動が一気に増えましたね。

雨宮　「夕刻のコペルニクス」連載時が、鈴木さんが一番トバしていた時代ですよね。

森　僕が鈴木さんと初めて会ったのは、98年公開の映画『Ａ』の試写会の時でした。宣伝スタッフが知り合いで試写会に来てくれたと後で聞いたけれど、「いやあ、すごい映画を観ました」と開口一番に感想を言ってくれた。ただこの時期、かなりの著名な方が試写会に足を運んでくれたけれど、その多くは、個人的にはすごいと思うけれど公式にはコメントできないというスタンスでした。でも鈴木さんは僕に言った感想をそのまま「夕刻のコペルニクス」に書いてくれた。パブリックな場で最初に『Ａ』を紹介してくれたのがその記事でした。オウムと右翼は元々、天敵のような存在だったから、鈴木さんが試写に来た時は、どうして右翼が…と思いました。

連合赤軍関係者とも深いつきあい

篠田　椎野さんは鈴木さんの本を何冊も編集し、何年か前からとても近い関係でしたが、最初に出会ったきっかけは何だったのですか？

椎野　僕は学生時代、ブントの戦旗派で活動していて、その後「暗黒の30年」という、仕事もあまりないような時期を経て、編集プロダクションの仕事を始めるのですが、出版社の彩流社に頼まれて塩見孝也さんにインタビューしたのですね。塩見さんといえばかつて赤軍派議長として知られた、学生時代の僕にとっては雲の上の存在でしたから、え、塩見さんに会えるのかと思いました。

篠田　塩見さんは20年近い獄中生活を経て１９８９年に出所したのですね。

椎野　その縁で塩見さんに誘われて２００３年の開戦直前のイラクに行き、そこで鈴木さんと知り合いました。その頃は鈴木さんは一水会の事務所があった高田馬場の駅前の喫茶店「カフェ　ミヤマ」を打ち合わせなどに使っていたのですが、僕の事務所も高田馬場にあったので、しょっちゅう呼ばれていました。僕に関係のない打ち合わせでも構わず呼ばれて、メールなどで送られる資料は全部、僕が受け取って中継したり、まるで私設秘書。おかげさまでいろいろな人、出版社の方と知りあえました。

雨宮　90年代、鈴木さんと塩見さんは、左右激突というタイトルのイベントに出たりして大きな話題になっていましたね。当時の若者たちが初めて右翼・左翼とはなんたるかを知ったきっかけは、だいたい鈴木さんだと思います。大学なんかでもそういうイベントが開催されて、今の大学の雰囲気では考えられないですよね。

椎野　その後、僕は「連合赤軍事件の全体像を残す会」という元連合赤軍のグループの記録を残す作業に関わり、その本を編集するのですが、鈴木さんもよく顔を出して、鈴木さんが元連合赤軍の人たちとつながることになりました。

雨宮　連合赤軍と交流を持った右翼というのも初めてではないでしょうか。

椎野　鈴木さんはそうやって塩見さんや元連合赤軍の連中と知り合い、左翼とのつながりが増えていくのですが、一方で右翼から反発されるようになって、結局、「脱右翼宣言」に至るのですね。一水会代表は２０００年に退いています。

雨宮　元赤軍派の「よど号」グループに会いたいと、ピョンヤンにも行ってましたよね。鈴木さんは90年代の終わり頃から北朝鮮に行こうとするものの何十回も入国を断られ、２００８年に初めて入国できて、２０１１年にやっとよど号グループに会うことができたのですが、そもそもピョンヤンに行こうとすること自体、右翼から反発を受けますよね。

椎野　有名な鈴木さんの言葉に「不自由な自主憲法より自由な押し付け憲法のほうがましだ」というのがあって、あれが象徴的でしたね。鈴木さんはそういうスタンスで、右翼から猛反発を受けた。

篠田　鈴木さんは、マスコミでは、右翼がこう言っているという位置づけでコメントを使われていたけれど、言っている中身はかなりリベラルだったから、わかりにくい人もいたでしょうね。

椎野　本人も確か「僕の考えてることは70％くらいは左翼と一緒だから」と言ってましたが、僕が会った頃はもうそんなふうだったから、あまり変わったという気がしないのですね。ただ鈴木さんは、天皇に対する尊崇の念は持っていたと思います。

森　僕も確か鈴木さんに「森さんとはほぼ同じ意見だけど、天皇についてだけは違うかもしれない」と言われました。

椎野　三島由紀夫が東大全共闘との討論の中で「君たちが一言、天皇と言ってくれれば君たちと共闘できるのに」と言ったという、その有名な話を、鈴木さんはたびたび引用していましたね。

ただ日の丸・君が代については、「僕はもう君が代を1万回以上、日本中の誰よりもたくさん歌っているけれど、君が代を強制するのは君が代が可哀そうだ」と言ってました。「嫌々ながら歌われるのでは君が代が可哀そうだ」と、そういう言い方は鈴木さんはうまいんですよね。

鈴木さんは何かを声高に主張するというのはなかったけれど、映画『靖国』とか『ザ・コーヴ』の上映が妨害された時には「映画を観もしないでやめろというのはおかしいじゃないか」と強く主張していました。そこは一貫していましたね。

篠田　言論や表現に対する強い思いは一貫してました。それは鈴木さんが最初に有名になった70年代の著作『腹腹時計と〈狼〉』で、思想や言論に命をかけた極左と言われた人たちにシンパシーを表明したというところから変わっていない気がします。言論には覚悟を持つべきだという考え方ですね。

右翼陣営内部には鈴木さんへの反発も

椎野　左翼と交流を深める過程で右翼陣営内部では反発もあったようだし、一水会内部でも反発して去って行った人もいたようです。

鈴木さんは2000年に一水会代表を木村三浩さんに譲って、運動は木村さんに任せるというふうに二人三脚ではあるけれど棲み分けをしてました。「鈴木の発言は何だ」という抗議が他の右翼からあって木村さんが対応を迫られることもあったようですが、鈴木さん自身は〝我が道を行く〟でした。

篠田　一度、別の右翼団体が一水会の事務所に街宣をかけたことがあったでしょう。その街宣の様子をネットで中継したりして、あれには驚いた。

椎野　木村さんの自宅まで街宣をかけられました。

篠田　木村さんが鳩山由紀夫さんとクリミアへ行ったことに対しての他の右翼からの反発があったようです。

椎野　その街宣については、その後、双方で話し合いをということになって、なぜか私も鈴木さんに呼ばれて同席しました。それも高田馬場の「カフェ ミヤマ」でしたが(笑)。

雨宮　そこにどうして椎野さんが呼ばれるの(笑)。

椎野　第三者がいたほうがケンカにもならないし、証人代わりという意味もあったかもしれません。

森　いま僕たちがイメージする右翼は、対米従属する自民党を是としてロシアや中国を敵視する戦後右翼ですが、日本の右翼の源流とされる玄洋社は少し違いました。総帥の頭山満を筆頭に彼らは、アジアはひとつだと本気で考え、日韓併合や満州国建国に対して、フェアではないと本気で抗議をしていた。鈴木邦男さんと一水会は、戦後右翼の系譜として珍しく反米を掲げています。玄洋社ももちろん国家主義で多面的だけど、本気で大東亜の連帯を考えていた。脱亜入欧をスローガンにしてアジアを侵略した当時の日本政府とはまったく違います。玄洋社の内田良平は韓国併合の際、韓国代表の李容九に泣いて謝ったという逸話がある。もう一回言うけれど多面的です。でも元々、そういう大陸浪人が集まって作ったのが日本の右翼の原点です。

椎野 アジアとの連帯という意味では〈狼〉と同じですね。

最大の謎だった赤報隊事件との関わり

篠田 一般に思われている右翼のイメージは、戦後右翼の児玉誉士夫や赤尾敏でしょう。親米で、基本的に体制擁護。鈴木さんたちはそれと違うものをめざして新右翼と呼ばれたわけですね。例えば原発についても一水会は反原発を掲げ、左翼と一緒だとも言われたけれど、そもそも日本の国土が汚染されるのに反対というのは右翼の主張として当然で、右か左かどっちなんだという問題の立て方がおかしいのかもしれない。だから鈴木さんや一水会の考え方というのは、実は基本的に大きく変わってないいんじゃないか。木村三浩さんもそう言ってますよね。

椎野 僕もそう思います。

篠田 鈴木さんは右か左かという次元は超えてしまったと言っていたし、かつて実家を放火されるという事件にあった加藤紘一さんと鈴木さんが衛星放送の番組で議論した後、加藤さんは「鈴木さんは、本当の意味で国士ですね」と言ってました。

雨宮 戦後右翼の流れが勝共連合や旧統一教会と重なっていたというのが昨年の安倍元首相銃撃事件であらわになったわけですが、鈴木さんが元気だったらどういう発言をしたか興味ありますよね。

椎野 かつて原理研批判を一水会は機関紙「レコンキスタ」でずっとやっていました。勝共連合などについても、あれは本当の右翼じゃないと批判していました。

森　鈴木さんは生長の家が出発点だったわけですが、戦後の右翼の流れの中でどう関わっていたかは興味深いですね。

雨宮　鈴木さんが口を閉ざしたまま亡くなってしまったと言われる最大の件が赤報隊との関係ですね。本当は犯人を知っていたんじゃないかとも言われてますがどうなんでしょう。

椎野　鈴木さんは女性関係と赤報隊についてはいっさい口にしないという頑なな態度を貫きました。

篠田　『腹腹時計と〈狼〉』の改訂復刻版を鈴木さんは2015年に『テロ』という書名で出版するのだけれど、そこに赤報隊事件について1つの章を追加し、著書の副題も「東アジア反日武装戦線と赤報隊」でした。鈴木さんが赤報隊をどう見ていたかというのは興味深いテーマです。

椎野　東アジア反日武装戦線〈狼〉については、そのストイックさなどを評価しており、そこが鈴木さんの出発点ですよね。そこが既存右翼への鈴木さんの批判なのだという人もいます。

篠田　彼らは普段はストイックな生活を送り、逮捕されたら服毒自殺すると決めて自分たちの行動に命をかけていたわけでしょう。そこへのシンパシーは鈴木さんの原点ですよね。

著書に住所・電話を明記

雨宮　ストイックな活動スタイルという点では鈴木さんの生き方がそうでしょう。みやま荘という6畳1間の木造アパートにずっと住んでいて、何よりもあの清貧ぶりに説得力があったし尊敬された。そのみやま荘が放火され、ドアの外に置いてあった洗濯機がどろどろに溶けた事件がありましたが、今どきの学生アパートだって、外に洗濯機があるというのは珍しいでしょう。

家族をずっと持たなかったというのも、守るものができてしまうと闘いに専念できないという理由だった気がします。相当な覚悟を持っていた。

森　自分の言論に責任を持つという理由でずっと著書に自宅の住所と電話番号を載せていたでしょう。家族がいたらそれはできないですよね。

椎野　鈴木さんのすごいのは、著書に住所と電話番号を載せていることにみんなが驚いていると、いやあ特別なことじゃないですよ、と言うところですね。気負ってそうしてるんじゃなくてごく自然なんですね。その方針を改めたのは、鈴木さんが今回の病気になってからです。結局、バリアフリーのないみやま荘から引っ越すことになったのですが、放火されても逃げられないし、世話をしてくれている人たちに迷惑がかかると言って、方針を変えたわけです。

森　鈴木さんの武闘派ぶりを見たのは、２００１年、日比谷野音で個人情報保護法反対の大集会が開かれた時、当初参加予定だった宮崎学さんを糾弾するといって党派の人たちが舞台を取り囲んだ。宮崎学さんは結局、集会に来なかったのだけれど、その時、鈴木さんが、集会をつぶそうというなら受けてたつから壇上で議論しようじゃないか、あがってこいと、立ちはだかったんですね。とてもいきいきしていた。すぐ後ろでその様子を眺めながら、やっぱりこの人は武闘派なんだと感じました。

『ザ・コーヴ』上映妨害に立ち向かった

椎野　日本のイルカ漁を批判したアメリカ映画『ザ・コーヴ』が「反日」だといってネトウヨの人たちを中心に上映反対運動が起きて、映画館前に上映を妨害する抗議部隊が押し掛けた時も、鈴木さんは抗議の隊列に近づいて行って「お前たちのやっていることはただの弱いものいじめじゃないか！」「映画を観もしないでやめろというのはおかしいじゃないか」「俺と話そう」と言っていた。

篠田　私もいつも現場に行っていたけど、鈴木さんは例外なく、ネトウヨの隊列に割って入ってました。ヘイトスピーチにも鈴木さんは反対で、辛淑玉さんたちの「のりこえネット」の共同代表にもなっていました。ネトウヨと言われる人たちとは激しく対立していました。

森　とにかく振幅が大きい。和歌山カレー事件の林眞須美さんを支援する会の会長も務めていた。前任はロス事件の三浦和義さん。これはもう右とか左とかいうレベルじゃないですね。

椎野　犯罪の加害者家族を支援する「共にいきる」という社団法人も、オウムの元教祖の三女、松本麗華さんの提案を受けて鈴木さんが理事長になっていました。

森　パリ人肉事件の佐川一政さんも確か鈴木さんに紹介された気がするのだけれど、とにかく鈴木さんは幅の広い人でしたね。

椎野　鈴木さんは、来るものは拒まず去るものは追わず、でしたからね。

森　タバコもやらないし、酒もほとんど飲まない。合気道もやって健康的な生活をしていたから、きっと長生きするだろうなと思っていたのに…。

篠田　鈴木さんほどつきあっていた人たちの幅が広いというのはほかにいないかもしれませんね。右とか左とかいうのをもう乗り越えたと言う通り、言論界でとても貴重な立ち位置でした。

雨宮　いまは分断の時代、不寛容の時代だから、鈴木さんがそうやってつむいできた糸が切れていってしまうようで残念です。

【年譜】
鈴木邦男さんの活動履歴

以下の年譜は鈴木邦男さんの主な活動履歴などを示したもので、杉山寅次郎さんと編集部で作成。文中の◆は刊行された出版書籍だ。また基本的に敬称を省略させて頂いた。

1943年 福島県に生まれる。

1960年 日本社会党委員長・浅沼稲次郎が17歳の元大日本愛国党党員・山口二矢に暗殺される。鈴木邦男は当時17歳で、生長の家の影響を受けて育っていたが、この事件には後々まで影響を受ける。

1962年 東北学院高校の卒業間際、「赤尾の豆たん」をストーブで教師に焼かれた仕返しに、職員室に乗り込み教師を殴る。即時退学。教会通いと懺悔を条件として半年遅れの卒業となる。

1963年4月 早稲田大学政経学部（政治学科）に入学。

1967年3月 早稲田大学卒業。

4月 早稲田大学大学院（政治学専攻）に進学。

1969年4月 早稲田大学教育学部（教育学科）3年に転入、森田必勝と同学科生となる。

5月 全国学生自治体連絡協議会（全国学協）結成に参加、初代委員長に就任するが、1カ月で失脚（この時鈴木と対立したグループが、後の日本会議の主要メンバー）。失意のどん底に転落するが、「生長の家」創設者・谷口雅春に右派系「やまと新聞」で「鈴木君は将来、憂国の士になるでしょう！」と励まされた。

1970年3月 よど号ハイジャック事件。この年、早稲田大学教育学部を中退。左翼運動の退潮と右翼の内ゲバと共に自らも仙台に帰郷。地元の書店員となる。

30代頃の鈴木邦男さん

1970年夏　産経新聞社に入社。渋谷で偶然阿部勉と行き会い、六畳二間の阿部のアパートに居候を開始。そこは「楯の会」会員の交流場でもあった。この頃、読書の必要性に目覚め、大量の読書を自らに課す。月に30冊必ず読むというノルマはその後も続く。毎年400冊から500冊以上を読破していた。

1970年11月25日　鈴木がオルグし右翼運動に誘った早大の後輩・森田必勝が、作家・三島由紀夫と共に自衛隊市ヶ谷駐屯地で自決（享年25歳）。衝撃を受ける。自分たちは運動をやめ就職してしまっていたのに、森田は、三島とともに命を投げ出すまでの活動を続けていたのだと罪悪感に襲われ、苦悩した末に再び政治活動の場に駆り立てられて行く。

1972年2月　連合赤軍あさま山荘事件。

5月　民族派活動団体「一水会」を設立。森田と三島の遺志を受け継ぐため。創設メンバーは鈴木のほかに阿部勉、犬塚博英、四宮正貴など。年長者だった鈴木が代表となる。「一水会」主催で、森田と三島を顕彰する「野分祭」（森田必勝の辞世の短歌に由来する追悼会）を毎年行う。後に「顕彰祭」、現在は「恢弘祭」として行われている。

1974年3月　防衛庁に抗議・乱入し逮捕。産経新聞を懲戒解雇され、以後、一水会の専従活動家となる。

8月には東アジア反日武装戦線による三菱重工爆破事件。この事件をめぐり右派の日刊紙「やまと新聞」に執筆した記事が三一書房社長の目にとまり、『腹腹時計と〈狼〉』出版につながった。

1975年8月　一水会『月刊レコンキスタ』を創刊。巻頭に「保守の拠点か変革の原基か」を寄稿。

10月　◆『腹腹時計と〈狼〉』（三一書房）が話題になり、これを機に「新右翼」と呼ばれるようになる。同書は後の2015年に◆『テロ　東アジア反日武装戦線と赤報隊』（彩流社）として改訂復刻。

1977年　野村秋介ら4人が経団連襲撃事件。

1978年　◆『現代攘夷の思想』（暁書房）

1981年12月　ソ連大使館に乱入。暴力行為容疑で警視庁大崎署から家宅捜索。捜索令状を破ったとして公文書毀棄等で現行犯逮捕。23日間の留置生活。

1987年　朝日新聞神戸支局銃撃など「赤報隊」による襲撃事件が相次ぐ。以後、一水会や鈴木邦男も容疑者として疑われるようになる。

1990年2月　「朝まで生テレビ」で「徹底討論／日本

の右翼」。小田実、大島渚、野坂昭如らリベラル派VS野村秋介、四宮正貴、木村三浩、鈴木邦男ら右翼陣が激突。番組始まって以来の大反響となる。

1993年　野村秋介が朝日新聞本社で拳銃自殺。◆『脱右翼宣言』（アイピーシー）

1994年秋～2000年初夏　◆『週刊SPA！』に「夕刻のコペルニクス」連載。のちに単行本化（第1巻～3巻、扶桑社）

1995年3月　オウム真理教による地下鉄サリン事件。

4月教団幹部・村井秀夫刺殺事件。

2000年1月　一水会新体制。代表を辞任、顧問となる。新代表に木村三浩。

2002年3月　「みやま荘」放火される。翌日、赤報隊の前身・日本独立義勇軍名で脅迫状が届く。一水会フォーラムで「時効寸前。赤報隊の真相」と題して講演。

2002年4月　◆『言論の覚悟』（創出版）

9月　ロフトプラスワンで元日本赤軍の足立正生監督と「9・11テロ一周年トーク」。

2003年2月　開戦前のイラク訪問。反戦集会・デモに参加。木村三浩、塩見孝也、パンタ等多彩なメンバー総勢36名。外務省の渡航中止勧告を無視しての渡航。

3月　「赤報隊」事件すべての時効を控え、木村三浩、鈴木邦男が記者会見。国松元警察庁長官に公開討論を呼びかける。

4月　「フランス国民戦線30周年大会」に招待され、木村三浩と訪仏。

2004年3月　「朝まで生テレビ」で「連合赤軍とオウム」。植垣康博、小林よしのり、宮崎学らと出演。

2004年10月　◆『公安警察の手口』（筑摩書房）

2005年2月　文京シビックホールで「おかしいぞ！警察・検察・裁判所」に登壇。「警察の裏金疑惑と公安の実態」で大谷昭宏と対談。

2006年2月　「朝まで生テレビ」で「激論！天皇」。山本一太、小沢遼子、小池晃、小林節、宮崎哲弥、八木秀次らと出演。

4月　「たかじんのそこまで言って委員会」の「愛国心特集」に出演。

2006年5月　◆『愛国者は信用できるか』（講談社）

7月　「朝まで生テレビ」で「激論・昭和天皇と靖国問題」。武見敬三、細野豪志、香山リカ、姜尚中、八木秀次らと出演。

8月　小泉純一郎首相靖国参拝について発言していた

自民党・加藤紘一議員の実家が放火される。
2007年4月　ニューヨークでの「日本国憲法」シンポジウムに招聘される。日本国憲法起草メンバーのベアテ・シロタ・ゴードン、映画監督ジャン・ユンカーマンらと対談。
5月　◆『私たち、日本共産党の味方です』（筆坂秀世との共著、情報センター出版局）
6月　一水会フォーラム「一水会35年の歩みと使命」と題して講演。
2008年1月　若松孝二監督「実録・連合赤軍～あさま山荘への道程」のイベントに雨宮処凛らと登壇。
2008年3月　◆『失敗の愛国心（よりみちパン！セ34）』（理論社）
2008年4月　映画「靖国」が**3月末**に全館上映中止となった事態を受けて様々な団体が緊急声明を発し、**4月10日**に田原総一朗、是枝裕和ら文化人が共同記者会見。鈴木邦男は「僕の力が足りなくてこうなった。全館上映中止と聞いた時には涙が出ました」と発言。**4月18日**には木村三浩一水会代表の尽力で右翼120人を集めて上映と討論会開催。その後**5月**から全国で上映再開。
2008年7月　◆『愛国の昭和‐戦争と死の七十年』（講談社）
10月　ロス疑惑の三浦和義がロス市警本部の拘置所で急死。「林眞須美さんを支援する会」代表を三浦から引き継ぐ。
10月30日　新宿ロフトプラスワンで映画「天皇伝説」をめぐって監督の渡辺文樹、鈴木邦男、篠田博之がシンポ。会場に訪れた数人の右翼と激しい応酬に。
2010年2月　◆『右翼は言論の敵か』出版記念イベント阿佐ヶ谷ロフト。宮台真司、斎藤貴男、篠田博之と登壇。
2月　◆『左翼・右翼がわかる』（佐高信との共著、金曜日）。
4月　◆『鈴木邦男の読書術』（彩流社）
6月　映画「ザ・コーヴ」が反日映画だとしてネトウヨの抗議が広がる中で、『創』主催の上映会&シンポ。鈴木邦男もパネリストに。
7月3日　「ザ・コーヴ」公開初日に渋谷イメージフォーラム前で上映中止を訴える「主権回復を目指す会」や市民、警官隊がもみあいになり、鈴木邦男がハンドマイクで殴られ出血。夜にはロフトプラスワンで公開討論が開かれ、鈴木邦男や統一戦線義勇軍・針谷大輔議長らが登壇。会場にいた「主権回復を目指す会」メンバーらと激しい議論の応酬に。
2011年3月 北朝鮮に渡航。労働党幹部やよど号グループの小西隆裕・若林盛亮と会見。
2011年6月 ◆『新・言論の覚悟』（創出版）
2011年11月 ◆『愛国と憂国と売国』（集英社）
2012年1月 ◆『増補・失敗の愛国心（よりみちパン！セ）』（イースト・プレス）
2012年2月 「連合赤軍事件殉難者追悼の会」@飯田橋・東京しごとセンター。当時の関係者らが挨拶。
9月 一水会結成40周年大会@アルカディア市ヶ谷。
2013年1月 ◆『秘めてこそ力』（柏艪社）
2014年1月 ◆『愛国者の憂鬱』（坂本龍一と共著、金曜日）
2014年2月 ◆『連合赤軍は新選組だ！その〈歴史〉の謎を解く』（彩流社）
2014年2月 ◆『反逆の作法』（河出書房新社）
2014年3月 ◆「『日本の分』について考える／鈴木邦男シンポジウム1・2』（中島岳志・鈴木宗男と共著、柏艪舎）
2014年4月 一水会フォーラム第147回「血盟団事件－昭和維新テロから現代は何を学ぶべきか」（講師：中島岳志）。超満員。
2015年3月 韓国を訪問。ソウル大学で「私はなぜヘイトスピーチを嫌うのか／日本の右翼がみる日本のネット右翼」と題して講演。
3月 ◆『BEKIRAの淵から／証言・昭和維新運動』（皓星社）
2015年8月 ◆『新右翼〈最終章〉〈新改訂増補版〉／民族派の歴史と現在』（彩流社）
2015年12月 『テロ《新版》東アジア反日武装戦線と赤報隊』（彩流社）
2016年5月 第19回札幌時計台シンポ（柏艪舎主催）。ゲストは麻原彰晃三女の松本麗華。
◆『テロル－Terror（シリーズ紙礫）』（皓星社）
2016年6月 「ベトナム反戦闘争とその時代展」@ギャラリーTEN@根津。**6月7日**、展示会のオープニングパーティ、監修の山本義隆が挨拶。山本は、元東大全共闘議長。
◆『〈愛国心〉に気をつけろ！』（岩波書店）
2016年9月 刑事役で出演の映画「ベースメント」（監督・井川楊枝）の先行上映会@渋谷ロフト9。
◆『これからどこへ向かうのか』（柏艪社）

10月　「鈴木邦男と読書会」@大阪。『〈愛国心〉に気をつけろ!』がテキスト。出席者が「鈴木を語る」「本を語る」。

「寺脇研トーク&シンポジウム/日本のこれからを考える」@名古屋。寺脇研、飛松五男と3人で語り合う。

2017年2月　◆『慨世の遠吠え2』(内田樹との共著、鹿砦社)

3月　◆『昭和維新史との対話/検証〈五・一五事件から三島事件まで〉』(保阪正康との共著、現代書館)

4月　韓国を訪問。笑いの内閣「ツレがウヨになりまして」(韓国公演)を観劇。劇場でフリーハグのユン・スヨンさんと遭遇。翌日観光案内をしてもらえることに。金浦空港では、反原発運動のアイドル藤波心さんと遭遇。

7月　◆『憂国論―戦後日本の欺瞞を撃つ』(白井聡との共著、祥伝社)

8月　「和歌山カレー冤罪事件」踏査ツアーに参加。放火され、今では公園になっている眞須美さんらの自宅跡を視察。誰が通報したのか、パトカーが来て職務質問を受ける羽目に。元兵庫県警の飛松さんが巧みに若手警察官をさばいてくれたので助かった。

◆『天皇陛下の味方です/国体としての天皇リベラリズム』(バジリコ出版)

9月　◆『言論の覚悟 脱右翼編』(創出版)

11月　◆『憲法が危ない!』(祥伝社)

12月　劇団再生の朗読劇〈アーチャ語り 親子~重たいドアをあけて 道はでこぼこ~〉に松本麗華と松本智津夫役で出演。

2018年6月　「オウム事件真相究明の会」発足。森達也、宮台真司、田原総一朗、香山リカらとともに登壇。

7月　「オウム真理教」麻原元教祖ら13人死刑執行。

2019年11月　この頃より、体調不良となり、入退院と自宅療養を繰り返す。

2020年2月　映画「愛国者に気をつけろ!鈴木邦男」(中村真夕監督)上映開始@ポレポレ東中野。連日満員御礼。

◆『彼女たちの好きな鈴木邦男』(邦男ガールズ編、ハモニカブックス)刊行。

2020年4月　この頃よりまた再入院と自宅療養。コロナ禍の下、面会が誰ともできなくなる。

2022年7月　安倍晋三元首相銃撃事件。

2023年1月11日午前午前11時25分　誤嚥性肺炎により都内の病院で逝去(享年79歳)。

追悼記3

好敵手の死

佐高 信［評論家］

『創』23年4月号

2010年に鈴木と『左翼・右翼がわかる!』（金曜日）という対話を出してまもなく、『朝日新聞』の「ニッポン人脈記」が「毒に愛嬌あり」というシリーズで私を取り上げ、鈴木の次のようなコメントを載せた。記者は加藤明である。

「相手の実名まで出してバッサリ斬るには、相当の覚悟がいる。訴えられもするし、嫌がらせの電話も家にかかってくる。その蛮勇には、ただただ敬服。しかも、情け容赦なくやっているようで、弱い立場の人は絶対に標的にしていない」

それこそ「言論の覚悟」をもっている鈴木のこの評は嬉しかった。鈴木にはわかってもらえているんだなと思ったからである。それとともに、鈴木に語らせた記者の加藤にも脱帽した。それかあらぬか、この回の見出しは「その蛮勇 ただただ敬服」である。しかし、私へのこの評はそのまま鈴木に返したい。

鈴木は、それこそ左右の枠を超えて衝撃を与えた『腹腹時計と〈狼〉』（三一書房）に入れた『週刊

「鈴木邦男さんを偲び語る会」での佐高信さん

現代』のインタビューで、こう語っている。

「革命家は、毛沢東でもレーニンでも、革命が終わった日に、皆自殺すべきだ。権力者となって生き残ったら、革命家としては終わり、というのが僕の持論です。爆弾闘争を行った青年たちには大衆の支持がなかった、という批判があるが、多くの人の支持を得るということは、もともとむずかしいですね。結果においての支持であって、支持は理論以外で求められない。しかし、理論というものはある運動の形成を経ないとできない」

この本は1975年に出ているが、この時、鈴木はまだ32歳だった。

鈴木より2歳下の私と鈴木の共通点は、竹中労に惹《ひ》かれていることである。

2011年に河出書房新社から出た『竹中労』というムック形式の本がある。

その巻頭で鈴木と私が対談した。題して「左右弁別すべからざる対話」。

そこで私は、鈴木がかなりのノセ上手であることを発見した。いわば右翼特有のホメ殺しの術を心得ているのである。

「(竹中は)漢文の素養もあって、なおかつ難しい書き方をしない。それを誰に習ったのかなと思ったら、藤沢周平に影響を受けたとどこかで読んだことがあります。時代小説が好きで参考にしていると」

鈴木がこう言うので、私が、

「藤沢周平より竹中労のほうがうまいんじゃないの(笑)。文章が色っぽいんだよ」

と返すと、鈴木は、

「佐高さんの文章もそう。読めば竹中労を目指してきたことがよく分かる。竹中労は佐高さんの中に生きていますよ。生まれ変わりですよ（笑）」

と続けた。「そこまで言うか」とも思うが、悪い気はしない。また、こんな遣《や》り取りにもなって、私はタジタジだった。

「竹中労に批判されて名誉だと思う人もいたでしょう。今だってオレは佐高信に批判されたんだという風に威張っている人っているんじゃない、いっぱい（笑）」

「俺、知らないよ、そんな人（笑）。竹中さんは小物は批判しなかったよね」

「竹中に批判された、これは大物の証明だと。じゃあやっぱり今の佐高さんでしょう？　だって小物は批判しないでしょう？」

「まあ、損することはしない（笑）」

最後は笑ってかわすのが精一杯だったが、私が何度も批判した猪瀬直樹や佐藤優がこれを読んだら、おそらく怒るだろう。

もう一人、鈴木と私の共通の知人を挙げれば、異色の弁護士、遠藤誠がいる。釈迦とマルクスに惹《ひ》かれる遠藤の『交遊革命』（社会批評社）によれば、遠藤は１９８１年に開かれた「竹中労さんを鼓舞する会」で鈴木に会った。

鈴木は会場の九段会館に「陸軍幼年学校生徒みたいに礼儀正しい若者数名を従えた38歳ぐらいの実直そうな青年」として現れたという。

その後、ときどき、遠藤は鈴木を料亭に招いた。ところが彼はいつもセーターにジーパン、それにズック靴でやって来る。なぜかと尋ねると、鈴木は、

「いつ警察から逮捕されそうになっても、乱闘できるように」と答えた。それで遠藤は「旧右翼には警察は甘いが、本当に権力と闘おうとしている新右翼に対しては、警察はきびしいのだな」ということを学んだ。

その遠藤に鈴木は自分が代表だった一水会の機関紙『レコンキスタ』への連載を頼む。タイトルは「四方八方レコンを斬る」で、天皇裕仁は最高の戦争犯罪人であるとか、遠藤は普通の右翼が読んだら激怒するような原稿を書いた。そのまま掲載されていたが、さすがにこれを右翼の元老の葦津珍彦《あしづうずひこ》が問題にした。

「一水会の機関紙なら、さぞかし、民族主義のことばかり書いてあると思ったら、遠藤誠という人が毎号書いている。しかも題目が『レコンを斬る』とある。一水会は新左翼の遠藤誠に乗っ取られたのか」

その後、鈴木は「脱右翼宣言」をし、「私が右翼をやめたのは遠藤誠さんのせいである」と書いた。それを遠藤は「思い当たるフシもあるが、冗談だろう」といなしている。

ところで辛淑玉《シンスゴ》に誘われて一緒に呼びかけ人になった「のりこえネット」で、先日、辛と私は鈴木の追悼対談をやった。

そこで私が鈴木理解の必読の本として挙げたのが邦男ガールズ編の『彼女たちの好きな鈴木邦男』（ハモニカブックス）である。委細はユーチューブで流れる前記の対談に譲るが、鈴木も私も、そして遠藤も東北出身。

その遠藤に「ヤマトタケル以来、天皇によって何度も追討された東北人は、いまこそ恨みを晴らすのだ。天皇制打倒のために共に立ち上がろう！」と呼びかけられて、鈴木はのけぞったらしい。

追悼記４

人を巻き込む人

武田砂鉄［ライター］

『創』23年4月号

「鈴木邦男さんを偲び語る会」での
武田砂鉄さん

鈴木邦男さんはよく枝豆を食べていた。枝豆は大抵の場合、みんなで食べる用のお皿で出てくるが、とにかく鈴木さんが大量に食べるものだから、枝豆を２皿頼んで、１皿を鈴木さん専用にしたこともあった。いつだったか、「どうしてそんなに枝豆ばかり食べているんですか？」と聞いたことがある。「だって、おいしいじゃん！」と笑っていた。自分も含め、周囲にいた人たちは呆れていた。鈴木さんが亡くなり、いくつかのニュース番組で、鈴木さんが喋っている姿を見た。安倍政権の姿勢に苦言を呈していたが、その声を久しぶりに聞き、自分が思い出したのは「だって、おいしいじゃん！」の明るい声だった。

鈴木さんと初めて会った日のことを覚えている。２０１０年の秋から冬にかけてだ。当時、河出書房新社で編集者をしており、２００５年に講談社から刊行された鈴木邦男さん、斎藤貴男さん、森達也さんによる鼎談集『言論統制列島　誰もいわなかった右翼と左翼』を改めて文庫化したいと申し出たのだ。文庫化にあわせて鼎談を収録することとなり、千駄ヶ谷にある会社の会議室で長々と話し込み、近くの店で軽く打ち上げをしてから、みんなで千駄ヶ谷駅に向かった。ＩＣカードで改札を通り過ぎたものの、後ろに誰もいない。どうしたのだろう、誰か具合でも悪くなったのだろうかと心配していると、しばらくして切符を手にした3人が朗らかな表情で入ってきた。誰が言ったかはさておき、「ダメだよ武田くん、そんなものを使っちゃ」と笑い合っている。この偏屈な人たちと仕事ができたことをなんだか誇らしく思ったのだった。

完成した文庫本を改めて開いてみると、２０１１年3月発行とある。東日本大震災が起きる直前に刊行されたこの本はタイトルを単行本刊行時の『言論統制列島』から『言論自滅列島』に切り替えていた。「『自滅列島』がいいんじゃない?」と提案してくれたのが鈴木さんだった。統制する、封殺するというよりも、率先して自滅しているのではないか、それが三者の共通理解だった。事実、原発事故が起きた後の言論やメディアは、奇しくも「統制」よりも「自滅」が似合ってしまった。

２０１１年はルポライター・竹中労の没後20年にあたる年だった。鈴木さんは竹中労の言葉、「人は、無力だから群れるのではない。あべこべに、群れるから無力なのだ」を大切にしていた。鈴木さんの言動の軸足というのか、態度はこの言葉にあった。どんな人とも対面し、対話し、同調したり異論をぶつけたりする。この繰り返しを怠らない人、怖がらない人だった。竹中労とも実際に対話してきた鈴木さんに体験的な評伝を書いてもらいたい、没後20年のうちに出版したい、と頼んだのはいつだっただろうか。

群れるのではなく個人として歩む姿勢を竹中労にぶつけるように明らかにした一冊『竹中労　左右を越境するアナーキスト』、そのあとがきで鈴木さんが「竹中労に出会わなかったら今の僕はない。

竹中によって僕の思想も行動も変わった。再生した。これほど影響力のある人はいない」と書いている。統制から自滅に移行した言論を突く一冊にもなった。こうも書いてある。

「『俺は愛国者だ』と大言壮語する人間は信用できない。だから、こうしろ、ああしろ、と他人に強制する。排外主義になる。自分が国家と一体になったと錯覚する。強大な戦闘ロボットに変身したと思うのだ。そんな魔力を秘めているのが、愛国心という言葉だ」

今に続いている「錯覚」である。大きな言葉を吐き、群れて、勢い任せに叩く。少数者を叩くために群れる。弱いから群れるのである。このところ、SNS空間で大きな顔をする「論破」を得意とする連中は、大きな権限を持つ者や構造へは異論をぶつけない。権力者ではない個人を見つけて痛めつけるのを快楽としている。そして、群れる。ほら、みんな言ってるよと嗤《わら》う。これもまた、統制から自滅に移行する一種なのだろう。

鈴木さんは、とにかく人と人をつなげるのが好きだった。Ｃａｆｅ Ｍｉｙａｍａ高田馬場駅前店、サンルートホテル高田馬場、阿佐ヶ谷ロフト、新宿ロフトプラスワン、そこでいろんな人を紹介してもらった。「河出はなんだって本にしてくれるから、ほら、頼んでみなよ」と適当なことを言いながら、私や相手を動揺させていた。とにかく本を読み、人と会い、新たな知見を探るのを止めなかった。甲府で開かれた竹中労を語るイベントで樹木希林さんを紹介してくれたのも鈴木さんだった。思えば、いくつもの特別な時間を鈴木さんが作ってくれた。

２０１４年に会社を辞め、ライターとして独立、翌年に出した『紋切型社会』でBunkamuraドゥマゴ文学賞を受賞すると、鈴木さんはやたらと喜んでくれた。授賞式にもやってきたが、何人かのカメラマンと一緒になり、最前線でパチパチと写真を撮る姿は失笑を買っていた。鈴木さんの著作『言論の覚悟　脱右翼篇』に「竹中労に始まる」と題してその日のことが載っている。賞の選考委員だった藤原新也さんとの3ショット付きだ。私との付き合いを振り返りながら、やはり竹中労の話を書いている。竹中労にいろいろな人を紹介してもらったとある。そして、「思想よりも人間性だと思ったし、一人で生きて闘っていく覚悟を教わった」と述べている。編集者としての最後の数年間、物書きとして独立したいという内心を育てている頃、「一人で生きて闘っていく覚悟」を教えてくれたのが、自分にとっては鈴木さんだった。たとえ、飲み屋では、嬉しそうに枝豆をたくさん食べてケラケラ笑っているだけのおじさんでも、書かれたもの、そして、表舞台で発した言葉には、常に覚悟があった。

鈴木さんの文章は、センテンスが短い。清々《すがすが》しいほどに区切り、どんどん主張を展開させていく。ああだこうだ言いながら、そうかもしれないし、こうかもしれないし、どんなもんでしょうかね、という迂回《うかい》をしない。こう思う。こうも思う。では、君はどうだ、と問いかける。かといって、他人の意見を弾《はじ》き飛ばすための断言ではない。他者を受け入れる。受け入れすぎるほどだ。この人のことまで認めなくてもいいのにと何度か思った。とにかく言葉をラリーさせる。自分とも、他人とも。言論とはそういう作用で活性化するものだと信じ抜いていた。授賞式を「ごめん、ちょっと出なくちゃいけなくて」と途中で立ち去ろうとした。「ありがとうございました。で、何があるんですか？」と聞くと、「この後、オスマン・サンコンさんに会うんだ」と返ってきた。いかにも鈴木さんらしいなと、笑いながら送り出した。

自分と鈴木さんは40歳ほどの年齢差がある。この業界には数歳違うだけでやたらと偉そうに振る舞ってくる人間も少なくないのだが、編集者としても、その後、ライターに転じても、常に対等に議論をしてくれた。自慢げにあれこれ語られたことなど一度もない。最近読んで面白かった本を問われ、あるいは紹介され、そこで話題になった本について、手元にメモをしていた。鈴木さんが坂本龍一さんと対談集を作ることになったタイミングだったか、坂本さんの父親・坂本一亀さんが、自分が働いていた河出書房新社の雑誌『文藝』で編集長をしていたと知ると、「田邊園子さんって方が評伝を書いているでしょう」と言われた。後日、田邊さんが書いた評伝『伝説の編集者　坂本一亀とその時代』を手渡すと嬉しそうに持ってかえり、後日、感想を伝えてくれた。

ある日、高田馬場の喫茶店で打ち合わせをする前、約束の時間まで余裕があったので芳林堂書店高田馬場店をのぞくと、そこに鈴木さんの姿があった。挨拶する前にこっそり覗いた。平台を睨みつけるような表情が忘れられない。人に会い、本を読む。この反復を徹底し、柔軟な頭を保ち続けていた。「群れるから無力」、そうならないための実践を怠らなかった。

最後に会ったのは、鈴木邦男さんを追ったドキュメンタリー映画『愛国者に気をつけろ！　鈴木邦男』のアフタートークでご一緒した時のこと。いつだったかと調べてみると、２０２０年2月1日。ここから数週間後には、新型コロナウイルス感染拡大による一斉休校なども始まっていくことになるから、病気で療養しながら、だいぶ無理をしながら登壇しているように思えた鈴木さんと会うためには、ギリギリのタイミングだったことになる。明らかに体調が万全ではなく、打ち合わせの場では静かだった鈴木さんは、登壇すると饒舌《じょうぜつ》になり、丁々発止で盛り上げた。

人前で話す、ということをこんなにも楽しみながら繰り返してきた論客もいない。人を巻き込んで、その場ならでは渦を作るのが巧みな人だった。どんな人間とでも向かい合い、流れを作る人だった。もう一回、「また、枝豆食ってんすか」と突っ込みたかった。写真を見ると、「だって、おいしいじゃん！」が聞こえてくる。あの声を知っている者として、巻き込まれた一人として、やるべきことをやっていく。

とはいえ、何をすればいいのか。幸いにも本棚には鈴木邦男の本が何冊もある。時折開いて、これを読めばいい。

追悼記5

鈴木邦男さんとの「情念の連鎖」

金平茂紀［TVジャーナリスト］

『創』23年4月号

「鈴木邦男さんを偲び語る会」での金平茂紀さん

清貧とは、おそらくこの人のためにある言葉だ。僕だけではないと思うけれど、鈴木邦男さんについては、すがすがしい思い出しか残っていない。計算高かったりとか、小賢《こざか》しいところなんかこれっぽちもなく、言うべきことは言う、聴くべきことは聴く。すがすがしい。

僕が初めて鈴木邦男さんの名前を知ったのは、１９７５年に三一書房から『腹腹時計と〈狼〉』という新書が出版された時だった。まだ大学生の頃だ。「腹腹時計」は１９７４年から75年にかけていわゆる連続企業爆破事件を引き起こした東アジア反日武装戦線のメンバーが作成した爆弾製造法などを記した地下出版物だ。日本ではかつて戦後間もない時代に「球根栽培法」という爆弾教本が秘かに配布されていたことがあったが、まさか１９７４年という時代に、そういう爆弾教本をつくる意志をもったグループがこの日本という国に存在していたことなど、今の若い世代からは想像もつかないだろうし、想像もしたくないのではないか。

彼らは日本の旧財閥系企業や大手ゼネコンを標的として、戦前の強制連行などを理由にあげて、

「落とし前」をつけると宣言し、手製の爆弾による「武装闘争」を行った。実際、1974年8月30日には東京丸の内の三菱重工本社ビルに爆弾を仕かけ、8人の死者、およそ380人の負傷者を出す凄惨な事件を引き起こした。翌75年5月19日に彼らは、警視庁公安部に一斉検挙されたが、彼らが、会社員としてごく普通に市民生活を送る20代半ばの若者たちだったという事実に人々は驚愕した。そのうちのひとり、東アジア反日武装戦線「大地の牙」グループの斉藤和氏は、検挙された際、かねてから首のペンダント内に隠し持っていた青酸カリ錠を飲んで自殺をはかり死亡した。鈴木邦男さんは、この事実にひどく衝撃を受けたようだった。

同グループ内の「狼」と「大地の牙」の計6人は、メンバーが司直の手にとらえられるなど危急の際には青酸カリ錠を飲んで自殺することを申し合わせていた。「狼」グループの大道寺将司（死刑判決確定後、2017年5月に東京拘置所内で病死）が、三菱重工事件の直後に、万が一司直によって自分たちが捕まった際には、法廷で主張を述べて生き延びる資格はないのであるから、潔く自死を遂げようと、一人ひとりに意思確認をして青酸カリ錠を渡していた。2017年、大道寺氏の死の少しあとに開かれた同グループの支援者たちの小さな集会に、鈴木邦男さんは一人で参加し、「斉藤和君のことをもっと知りたい」と話していたという。鈴木さんの斉藤和氏への「共感」は並々ならぬものがあった。

『腹腹時計と〈狼〉』のなかで、鈴木さんは次のように記していた。「『人を殺したら自分をも殺さなくては』という論理、否、倫理観はもともとは右翼テロリストの倫理観である。……右翼の運動のほとんどは、『人を殺したら自分をも殺す』という倫理のもとに行われてきた。たとえ個人テロであろうとも、クーデターを目指す集団的なものであろうとも、蹶起《けっき》者一人一人の胸の中にあったのは、この倫理であり覚悟であった。そういう意味では、彼らの一人一人は斉藤らと同じように自決用の毒入りカプセルを常時携帯していたのである。もっとも斉藤らとは違い、右翼テロリストの場合は、目に見えない形で心の中にしまってではあったが」(同書より)

世間一般が左右を問わず非難・排撃の大合唱を当時繰り返していたさなか、鈴木邦男さんがいち早く、少なくとも「理解しようとする」姿勢をみせたことに僕は驚いた。それは1970年の作家・三島由紀夫による自衛隊市ヶ谷駐屯地への乱入・割腹自殺事件の直後、当時の左派の中で最もラディカルな論陣を張っていた滝田修氏が、三島氏の行動に共感的理解を表明するかのような主張をしていた記憶とどこかで重なっている。いのちがけの言論、いのちがけの言行一致というものがあるだろう、と。その重みは何ものにも換えがたい、と。今にして思えば、幼い、しかし純粋さを競いあうような偏狭な世界観のなかでの管見《かんけん》のそしりは免れないのかもしれない。だが、そのような「情念の連鎖」のようなものが、確固としてこの社会に存在した時代があった。

僕はその後、1977年に民間放送局に仕事を得て、ぐうたらな記者としてさまざまな人々と「取材」を通じて交流を広げていった。そんななかに一水会の創始者のひとりで楯の会の一期生・阿部勉氏(故人)がいた。なぜか気が合い(と勝手に僕が思っていた)、新宿の酒場街を飲み歩いていた。その頃の飲み仲間には、TBSのドキュメンタリストだった村木良彦さんや、『調査情報』誌の編集部員で元役者の榎本陽介氏らがいた。阿部氏は、俳優の故・成田三樹夫が着物を着て歩いているような風貌の人物で、酒を愛し、談論風発を好んだ。

　ある日、赤報隊事件の捜査をする警視庁公安部の捜査員が山形市内で阿部氏を参考人聴取するため面談を申し入れて来た。たまたま僕はその日に山形で阿部氏と会っていたのだが、その参考人聴取の場（酒席）に一緒に来いと言われた。「弟子ということにしておくから、ただ黙ってみていればいい」。僕はその席に立ち会うことになった。まあ、途中で記者であることがバレたのだが、そういう際でも阿部氏は実にさばさばしていた。阿部氏の口から、鈴木邦男という男がいて、こいつはヒダリに人気がある、お前さんもいつか会った方がいいなどと言われていた。

　まもなくごく自然に鈴木氏と知り合いになって、『創』等が関わった集会の後の宴席などをともにしていた。鈴木氏も阿部氏同様、腹がすわっていた。言うべきことは言う、聴くべきことは聴く。相手の優位に立とうなどというマウンティングの姿勢がまるでないのだった。これは今の世の中では実に稀なことだった。

　あまりにもすがすがしいので、僕が客員教授をつとめていた早稲田大学ジャーナリズム学科のゼミにお声がけをして参加いただいた。何をしたのかと言えば、ＴＢＳがアーカイブとして長年所蔵していた「三島由紀夫vs東大全共闘」の素材（全編）をゼミ生たちとともに視聴してディスカッションをするというものだった。この素材は後年、商業映画にされたが、鈴木邦男さんは、ゼミの席で、なぜこんなに貴重なものがＴＢＳの倉庫に眠ったままなのか、すぐにでも無料公開して皆で共有した方がいい歴史的な史料ですよ、と真剣に言っていたことを思い出す。

　強烈な思い出の一つとしてもうひとつ脳裏にあるのは、ドキュメンタリー映画『靖国　ＹＡＳＵＫＵＮＩ』（２００７年　制作：李纓）が日本で公開されようとした際に、さまざまなトラブルが生じ、映画の劇場主や配給会社側に対して暴力をともなった妨害行為がしかけられたことがあった。この時、鈴木さんは、この映画を評価、上映を擁護した。表現の自由、上映の権利がおかされていることに鈴木さんは怒っていた。

さらには、鈴木さんとは思わぬ場所で一緒になったこともあった。２００９年、僕が米ニューヨークに住んでいた頃、アメリカ映画『ザ・コーヴ』がアカデミー賞のドキュメンタリー映画部門で受賞するなど、反イルカ漁運動の機運が高まりを見せていたことがあった。２０１０年に日本に僕が帰国後、ある人の呼びかけで、伊豆沖の海でイルカを見に行こうという少人数のツアーが催された。本当に少人数の参加で、沖合に小型船を出してイルカを見に行く、どちらかというとイルカ保護派の人々のツアーだったのだが、なぜかそこに鈴木さんがいるではないか。関心の赴くところ、どこにでも出かける。そういう人だった。

その日はあいにくイルカをみることはできなかったが、宴席でイルカ漁をめぐって参加者たちと議論が続いた。僕自身は、アメリカでの体験から、アメリカのＷＡＳＰの人々が共有している一種独善的な価値観（イルカの方が下等な人間なんかより知能が高く、保護されるべきだとでも言うかのような『わんぱくフリッパー』的世界観）に反発を覚えていたが、かと言って、無条件にイルカ囲い込み漁＝日本古来の伝統で断固として正当なものだという主張にも距離を置いていた。鈴木さんはにこにこしながら僕の話に耳を傾けているばかりだった。

最後にもうひとつ。『創』の呼びかけで、２０１９年の愛知トリエンナーレにおける『表現の不自由展』開催中止問題をめぐるシンポジウムが東京都内で開かれた時の鈴木さんをめぐる記憶がいまだに鮮明なので、そのことを記しておきたい。このシンポジウムで僕は鈴木さんの隣の席に座っていた。あの時、〈空気〉が読めない僕は、なぜ体を張ってでも同展の開催継続を決意しなかったのか、というささか感情的な発言をした記憶が残っている。けれども、この時の鈴木さんの発言に耳をすませて聴いていた僕は、得も言われぬほど感動したのだった。

異次元にいる鈴木さんは、『表現の不自由展』のことにはほとんど触れず、おそらく、その時期にみたばかりの映画『えんとこの歌』（２０１９年　伊勢真一監督）が、いかにすばらしい映画であるか、この作品がどれほど深い人間賛歌であるのか、を滔々《とうとう》と語っていたのだ。僕はあっけにとられた。そしてひどく感動してしまった。『えんとこの歌』はその頃僕もみたばかりだったので、鈴木さんのいう言葉にいちいち頷《うなず》いてしまったのだ。「情念の連鎖」とでもいうものがあった。

鈴木邦男さん、いつの日かそちらでお会いしましょう。

追悼記6

「まともな大人」鈴木邦男さんのこと

山本直樹［漫画家］

『創』23年4月号

2012年12月9日連合赤軍ツアーで
妙義山アジト前（左が筆者）

１９９４年に日本ジャーナリズム専門学校でなぜか講師を頼まれました。漫画家志望ではないジャーナリスト志望の学生に漫画について講義するという不思議な授業でしたが。その月イチの講義のどこかで、当時その学校で講師をしていた鈴木邦男さんが絓《すが》秀実さんと見に来られて「あ、朝生で見た右翼の鈴木邦男だ」。それがお見かけした最初でした。ちゃんとお話したというわけではなく鈴木さんと絓さんの鋭い質問にしどろもどろ答えていた記憶しかないです。

その後ロフトプラスワンの植垣康博さんのトークイベントでお見かけしたり、２００６年に連合赤軍を題材にした『レッド』という漫画の連載を開始してからは、連合赤軍関係のイベントなどでしばしばお会いするようになって、顔も憶えていただけるようになりました。「地獄への道は善意で舗装されている」という警句を引用して、閉じた正義感が連合赤軍事件のような悲劇を引き起こすのだというようなことをおっしゃってました。自身の前半生での活動に対する総括でもあったのかな？「仲間内の同志殺しという意味では連合赤軍と新撰組は一緒。数十年後にＮＨＫ大河ドラマになるよ」ともおっしゃってました。

2012年には元連合赤軍の人たちや鈴木さんも一緒に泊りがけで連合赤軍ベースの跡地や犠牲者が埋められた現場を巡りました。

2015年、ロフトラジオでも平野悠さんらと鼎談《ていだん》させていただきました。緊張してたいしたことはしゃべれませんでしたが、音源がYouTubeに残っています。

最後にお会いしたのは確か2018年、麻原彰晃らの死刑執行をきっかけに開かれたオウムについて考える集会でした。『レッド』の連載が終わった直後で「次はオウムだね」と言われたので「ぜったい描きません。もうエロ漫画しか描きません」と答えました。

このように断片的なおつきあいの中での会話と、イベントやテレビ番組などの発言でしか鈴木さんを知りません。それでもあえて鈴木さんが何者だったのかと僕なりに考えると「まともな大人」。つまらない凡庸《ぼんよう》な言い方ですが、幾分かのデタラメさやいい加減さも含めた、それと向き合って初めて完成する「まとも」。そのまともさを自分と自分のまわりで完結させるのではなく発言し行動する大人というのはそんなにたくさんいないし、これからどんどん減っていくのかもと考えると鈴木さんの死は寂しいです。

追悼記7

邦男先生が逝ってしまった喪失感

松本麗華

『創』23年4月号

「アーチャ語り」で共演（右が筆者）

邦男先生、先生が逝《い》ってしまった喪失感を、どうやって受け入れたらいいかわかりません。先生の周りにはちょっと変わった温かい人が集まっていて、先生はその人たちを自然とつないでいました。わたしも先生の周りに集まったちょっと変わっている人だったかもしれません。

先生、温かい日本社会を見せてくださって、ありがとうございました。

鈴木邦男先生のお名前を知ったのは、先生のご著書『公安警察の手口』を読んだときのことでした。あれは東日本大震災から数カ月後の２０１１年。ある日、わたしは車の下に、ＧＰＳ発信器を何者かに取り付けられていたことを知りました。監視されているだろうとは思っていましたが、まさか、ＧＰＳ発信器が付けられているなんて。

どこにいるのか、どこに行ったのか、どのぐらいの時間そこにとどまったのかを、何者かに監視され続けてきたのかと思うと、怖かった。何よりも、「なぜ?」「どうして?」「誰が?」「いつから?」

という拭《ぬぐ》えぬ疑問。

そこで頼ったのが、鈴木先生のご著書です。でもこのときは、実際に先生にお目にかかれるとは思っていませんでした。

２０１５年３月、わたしは講談社から『止まった時計―麻原彰晃の三女・アーチャリーの手記』を出版しました。

先生がこの本を読んで興味を持ってくださり、同年５月に『紙の爆弾』の誌上対談のため、はじめてお会いしました。お会いする前はこわごわ。当時は右翼も左翼もわからなくて、こんな無知な状態で先生にお目にかかるのは恥ずかしいとも思いました。

わからないから、先生の過去の記事を読みました。驚いたことに先生は、父に対して不当なことはまったく仰《おっしゃ》っていないことがわかりました。それで少し安心して、ありのままを受け入れていただけるのではと思ったのです。

先生はわたしを見つけるなり、「あー、アーチャリーさんですか、大きくなりましたね」と嬉しそうに仰ってくださいましたね。わたしは身近でない人から「アーチャリー」と呼ばれるのは正直苦手でした。ラベリングされている感じがしたのかもしれません。でも、先生の呼ぶアーチャリーは違った。姪《めい》っ子が大きくなったのを喜ぶような温かさがあったのです。

その後、先生と個人的にもお話しさせていただく中で、先生がなぜアーチャリーと呼んでくださっていたのかわかっていきました。

先生と最後にお食事させていただいたときに「宗教体験を大切にするんだよ」と仰っていましたね。

先生は生長の家とキリスト教の二つを経験して、とても大切にしているって。わたしが経験したことも無駄にしないで人間として成熟してほしいって。

その話をしたときに、ああ、だから、先生のアーチャリーという響きはこんなに柔らかいんだと思いました。多くの方はわたしを見るときに「オウムのかわいそうな子」、または「オウムでわがまま放題した子」として「アーチャリー」と呼んでいたのですね。でも、先生はわたしの経験をかわいそうとも受け取らないし、どんな過去も経験も、大切にしてほしいと尊重してくださった。それがとても印象に残っています。

先生を通じて、わたしは多くの経験と、優しい人たちに出会うことができました。多様性の大切さ、ひとを尊重することも学ぶことができました。

それだけでなく、先生にはたくさん助けていただきました。

わたしの父は、病気で裁判を受けることができないまま死刑が確定しました。その父自身の口から事件の真相を語るべきとして作られた「真相究明の会」では呼びかけ人になってくださり、社会的弱者に寄り添うことを目的として設立され、わたしも理事をしている「一般社団法人共にいきる」では、快く代表理事を引き受けてくださいました。

わたしが先生との思い出で絶対に忘れられないのは、2017年12月に上演された劇アーチャ語り『親子～重たいドアをあけて道はでこぼこ～』です。このときは台本の読み合わせやリハーサルなどでたくさん先生と会えて嬉しかったな。

先生は「麻原晃彰さん役を自分が引き受けていいのかなあ」とにこにこしながら、父の声の役をやってくださいましたね。誇りに思いますと。

12歳で父と生き別れ、自分の中の時計を止めてしまったわたしは、先生の愛情がこもった声を聞いているうちに、涙があふれて止まらなくなりました。父に思われている感じがして、父に対する屈折も薄らいでいきました。

先生はわたしの父親役をやって、わたしに対する見方も変わったと言っていましたね。お父さんは本当に大切に思っていたんだろうなぁって。娘と一緒にいたかっただろうなぁって。

２０１９年に先生が体調を崩され入院されたあと、先生は人気者だから、病院にたくさん人が詰めかけているかも、わたしまで行ったら迷惑をかけてしまうかもしれないと思い、面会に行くかどうか悩みました。

だけど、人との関わりは一期一会です。

後悔したくないけど、ご迷惑だったらどうしようとどきどきしながら面会に行ったとき、「ヤクルトがほしい」と言われて、大切な人に何かを頼まれるって幸せだなと思いながら、近くのイオンまで買いに行きました。

面会のときは「共にいきる」の原稿の確認もしてくださって、「先生ご負担じゃない?」と聞いたら、「今ね、一水会も最高顧問になって実質引退してしまっているから、人のためになるこういうのいいね」と仰いましたね。自分が大変な状態にあるのに、それを気にせず、人のためにと言われる先生の姿を見て、自分もそうなりたいと思いました。

入院されていたときは何度か面会ができたけど、退院されたあとはお目にかかれなくなってしまいました。何かわたしにもできることはないかなと考えていたとき、ハモニカブックスの清水均さんから「月刊鈴木邦男新聞」のために、先生に毎月お手紙を書かないかと依頼されました。

先生、お手紙読んでくれた？　読んでくれていたらいいな。

お返事がなかったのは心配で寂しかったけど、それでも毎月先生にお手紙が書けてよかった。清水さんに感謝だね。

先生、いつかまた、お元気になられた先生とお話がしたいと願っていました。先生のほんわかした優しい雰囲気が大好きでした。鈴木邦男生誕１００年祭に、先生が１００歳になるまで参加させていただきたかった。先生、たくさんありがとうございました。

先生が安らかに幸せに過ごされていることを願っています。

言論の覚悟　最終章

2023年5月30日初版第一刷発行

著　者――鈴木邦男
発行者――篠田博之
発行所――㈲創出版
〒160-0004 東京都新宿区四谷2-13-27 KC四谷ビル4F
［電　話］03-3225-1413
［FAX］03-3225-0898
［H　P］http://www.tsukuru.co.jp/
装　幀――井上則人／坂根 舞（井上則人デザイン事務所）
印刷所――モリモト印刷㈱

ISBN：978-4-904795-75-0